LE FIL ET L'AIGUILLE

DU MÊME AUTEUR

POÉSIE

Amoco Cadiz

Prix Émile Hinzelin 1979 de l'Académie française

Les Ombres et les Nombres

Grand prix de poésie Broquette-Gonin 1984 décerné par l'Académie française. Traduit en anglais par Jeno Platthy et publié en 1986 aux États-Unis sous le titre « Shadows and Numbers ».

Les Odes européennes

Traduction française (1986) des « European Odes » du poète et essayiste américain Jeno Platthy.

PROSE

L'Elorn

Participation à l'ouvrage collectif (1986)
« Ferveur et Grâce du Finistère » de Charles Le Quintrec.

ESSAI

L'Horizon des événements

Prix Bretagne 1993. (le cherche midi éditeur)

HERVÉ ROY

Le Fil et l'Aiguille

COLLECTION
« POINTS FIXES/ROMANS »

le cherche midi éditeur
23, rue du Cherche-Midi, 75006 Paris

à Christiane

Et tes choix accomplis
et tes maux acceptés.

Jean CASSOU

I

À cinq heures du matin, le 10 mai 1940, le bombardement de la gare d'Amiens par l'aviation allemande réveille Flora. Elle bondit de son lit, s'habille à la hâte, court au lycée de jeunes filles où elle est professeur. Les surveillantes ont fait descendre les pensionnaires dans les caves.

La journée se passe à nettoyer les abris, à délimiter à la craie les emplacements attribués aux différentes classes, à vérifier les éclairages de secours. En ville, deux externes ont été blessées.

La veille, un télégramme a appris à Flora la disparition de son fiancé. Son bateau, le contre-torpilleur « *Bison* » a été coulé par la Luftwaffe au large des côtes de Norvège.

La brutalité de cette nouvelle l'a fait vaciller. L'emprise de sa volonté sur ses sentiments lui a certes permis de reprendre rapidement son équilibre. Il se peut, aussi, qu'une sorte de prescience ait atténué l'impact du choc. Au milieu de l'après-midi du 4 mai, alors qu'elle s'échinait à faire entrer dans une cervelle rétive les règles latines de l'emploi du pronom réfléchi dans le discours indirect, il lui sembla qu'un défunt venait la visiter.

Une voix sans paroles tentait de l'interpeller, la traînée incolore d'un lambeau d'étoffe traversait l'étendue de son champ visuel, une gorge béante se retournait pour lui hurler avant de disparaître un message inaudible.

Dans les jours qui ont suivi l'attaque de la gare, des colonnes de réfugiés envahissent la ville, des bombardements aériens intermittents secouent la banlieue.

La directrice du lycée prie les familles des pensionnaires de venir rechercher leurs enfants. L'établissement ne tardera pas à fermer ses portes.

Flora se décide à regagner Paris. Fin avril, le garagiste qui lui avait procuré sa 202 Peugeot et en assurait l'entretien, lui avait recommandé de compléter en permanence le plein de son réservoir d'essence et de placer dans son coffre deux grosses nourrices de carburant. Elle avait suivi à la lettre ses conseils.

Elle bourre une valise d'effets, confectionne un ballot de livres, fourre dans un sac les provisions subsistant au fond de ses placards, prend la route. Elle se réinstalle dans son appartement de la rue Saint-Sulpice.

La bataille s'est cristallisée sur la Somme. Le ton des communiqués laisse deviner qu'en de nombreux points les Allemands ont réussi à ouvrir des brèches de plus en plus difficiles à « colmater ». Des bruits alarmants circulent. Les Parisiens entassent des chargements hétéroclites sur le toit de leurs voitures et quittent en masse la capitale.

Gagnée par la contagion, Flora remplit plusieurs bouteilles d'eau, fait un tour dans les magasins d'alimentation du voisinage, embarque ses bagages dans l'auto, démarre. Elle pense aller trouver un premier refuge à Camaret, le port de pêche finistérien où habitent les proches de son fiancé disparu.

Voyage de cauchemar, des encombrements à n'en plus finir, d'inquiétantes somnolences sous un soleil de plomb, la hantise de la panne d'essence. Il lui faudra près de deux jours pour atteindre Locronan.

Morte de fatigue, elle se gare dans la cour d'une école et passe la nuit sur le carrelage du préau en compagnie d'une trentaine de religieuses venues du Pas-de-Calais. Obsédée par ses souvenirs de 1914, leur supérieure n'avait plus eu d'autre souci que d'aller s'abriter le plus loin possible dans l'Ouest. L'économe d'une maison de retraite de Crozon lui avait promis d'héberger sa communauté. C'est à pied qu'elles avaient fait le trajet de leur couvent à Versailles où elles purent monter dans un train à destination de Quimper. Là, elles durent reprendre leur marche. Exténuée, la supérieure est incapable de faire un pas de plus, une jeune novice boite bas. Flora les prend toutes deux dans sa voiture et les dépose au pied du perron de l'établissement qui doit les recevoir.

Il ne lui reste plus que sept à huit kilomètres à parcourir pour parvenir à Camaret. Elle conduit le plus lentement possible pour économiser son essence. Il y a belle lurette que la deuxième nourrice a été transvasée dans le réservoir ; il doit être presque à sec. Pour dissiper sa nervosité, Flora se remémore le déroulement de son séjour dans ce bourg douze mois auparavant. En premier lieu, l'accueil et la prestance du « Magnifique » ; c'est ainsi que s'était surnommé lui-même le poète et dramaturge Saint-Pol Roux ; elle lui doit d'avoir brisé le carcan dans lequel s'étiolait sa sensibilité. Apparaît à ses côtés sa fille, Divine, réservée, affectueuse. Ils demeurent, elle et lui, dans le manoir que le poète a fait construire au début du siècle. Quant à leur servante, Rose la bretonne, c'était quelqu'un qui comptait et sur laquelle on pouvait compter. Elle avait procuré à Flora un logement chez l'une de ses parentes ; le matin elle lui servait son petit déjeuner dans la cuisine du manoir. En second lieu les garçons, Joseph le disparu du « *Bison* », ses cousins germains Yves et Jean-François ; elle revit intensément les sorties en mer, sur un côtre noir aux voiles rouges, auxquelles ces trois marins pêcheurs l'avaient conviée.

À midi, Flora entre dans Camaret. Le moteur n'a pas toussé une seule fois. Elle arrête sa voiture sur une placette voisine de la maison de la parente de Rose. Le soleil cogne sur les toits d'ardoise. La chaleur accablante, la lumière fourbe, laiteuse, la mettent mal à l'aise.

La triple accolade de sa logeuse, « en commençant par la joue gauche, la plus proche du cœur, bien sûr », la rassérène.

« Bien sûr, elle aura la chambre de l'an passé. Cependant, si les réfugiés continuent d'affluer au rythme des jours précédents, il lui faudra, peut-être, la partager avec une ou deux autres personnes. Des lits de camp ont été prêtés par la mairie pour les coucher si cela advenait ».

« Pendant qu'elle rangera ses bagages, on va lui faire cuire des œufs sur le plat, lui préparer une assiette de jambon, une coupe de fraises à la crême, un bol de café ».

Cette collation avalée, Flora remonte dans sa chambre, ferme ses volets. Écrasée de fatigue, elle s'écroule sur son lit et s'endort jusqu'au lendemain matin. Sa première visite sera pour le manoir de Saint-Pol Roux. Rose la fait asseoir dans sa cuisine, lui parle de choses et d'autres avant d'évoquer l'humeur du maître de céans. Jusqu'en avril, M. Saint-Pol n'a pas mis une seconde en doute la victoire. La déroute des armées françaises l'a anéanti. Il passe le plus clair de son temps dans son bureau. Il ne supporte plus d'être dérangé. La seule manière de l'apercevoir est de guetter à l'extérieur du portail son départ en promenade un peu avant onze heures. Il ne faudrait pas que la demoiselle tarde trop à aller l'attendre.

Flora sort se poster au bout de l'allée. Le « Magnifique » apparaît. Elle l'aborde. Surpris, il la contemple un instant, lui ouvre tout grand ses bras, murmure : « C'est affreux ! C'est affreux ! ». Il desserre bientôt son étreinte et la quitte sans l'avoir invitée à le suivre, ni à revenir au manoir.

Déçue, Flora redescend vers le bourg, se ravise, revient sur ses pas pour gravir le chemin des Tas de Pois.

Au sommet, elle retrouve l'endroit où Joseph et elle s'étaient enlacés onze mois auparavant : un creux tapissé d'une épaisse bourre d'arbustes nains tassés par les vents du nord-ouest. Ils s'étaient promis, cette nuit-là, de s'épouser à l'automne.

Elle se cale dans l'anfractuosité, emplit sa vision du tableau que composent devant elle l'abrupt des falaises, les clivages des roches, les sinuosités des courants marins, l'horizon rectiligne. Elle lutte pour ne pas s'attendrir, serre les dents, se fige dans un univers d'absence. Des sanglots l'assaillent. Peu à peu, les hoquets et les spasmes s'espacent, se calment.

Recroquevillée sur elle-même, ses coudes sur ses genoux, son menton au creux de ses mains, elle ne pense plus à rien, ne voit plus rien, n'entend plus rien. Le soleil aura déjà entamé sa plongée vers l'ouest lorsqu'elle recouvrera ses sens.

Sa conscience se réveille sur un fond de désespoir et de tristesse, dans une conjonction de révolte et de résignation. Ses souvenirs d'enfant et d'adolescente encombrent son esprit. Leur précision ou leur flou, leur importance ou leur futilité, les certitudes ou les doutes relatifs à leurs enchaînements dansent dans sa tête.

Le lendemain, Flora descend au port, sonne à la porte de la maison de l'oncle et de la tante de Joseph. Ils la reçoivent comme leur fille. La tante lui confie à mi-voix que Joseph leur avait fait part de leurs projets de mariage.

Un même deuil les unit.

Leurs deux fils sont en bonne santé. Le croiseur de Jean-François carène à Dakar. Yves se trouve sur le cuirassé « *Bretagne* » à Oran. L'un et l'autre ne risquent plus grand chose.

Dans la chambre des garçons, la tante lui ouvre l'armoire de Joseph. Flora palpe l'étoffe du costume de serge bleue, pose les mains sur les piles de chemises et de chandails. Elle découvre, au fond d'un tiroir, ses cahiers d'écolier : les notes des maîtres sont élogieuses. Le bon ordre des dictées et des exercices d'arithmétiques l'impressionne.

L'oncle s'est chargé de la Peugeot. On ne trouve plus d'essence pour rouler et il ne serait pas prudent de la laisser dehors. Flora et lui vont la chercher pour la conduire dans son hangar. Il met la 202 sur cales et entreprend la série des opérations que requiert l'immobilisation prolongée d'une automobile. Elle le regarde faire un moment, puis s'en va fureter au milieu des apparaux, des cordages et des rouleaux de voiles débarqués du langoustier. Flora soulève la housse qui recouvre un véhicule. Elle reconnaît la fourgonnette que les garçons avaient empruntée pour l'emmener danser à Morgat. Ses yeux se ferment.

Chaque matin, Flora arpente les quais du port, pousse jusqu'à la chapelle de Rocamadour. Elle s'attarde à contempler le cotre noir accoté à ses béquilles à marée basse, harmonieusement bercé par le flot à marée haute.

Elle n'ose plus remonter au manoir. Le « Magnifique » est inaccessible. Rose a changé. De quelles inquiétudes est-elle la proie ?

En revanche, l'oncle et la tante l'invitent souvent à partager leur dîner. Ils lui parlent des trois garçons, répondent sans jamais se lasser aux multiples questions que lui inspire le souvenir de Joseph.

Leur gentillesse et leur délicatesse, si elles n'atténuent pas son chagrin, lui apportent un indiscutable apaisement. Les attentions que lui prodigue sa logeuse la réconfortent également.

Flora songe à réagir. Elle devrait profiter du répit du moment pour relancer la préparation de sa thèse de doctorat.

La pression des armées allemandes s'est accentuée. Leurs forces déferlent sur l'ensemble des fronts. L'ambiance n'est guère favorable à la reprise d'un travail de longue haleine. La confusion des nouvelles engendre un climat insupportable dans le bourg. Aux espoirs les plus insensés succèdent des crises de profond découragement. On souligne l'invincibilité de la Wehrmacht, on évoque la possibilité de créer un réduit breton, on affirme l'imminence de l'entrée en guerre des États-Unis.

Le 16 juin 1940, veille de l'arrivée des Allemands à Camaret, on entendit le canon tonner dans le nord-est. Plusieurs navires de guerre français débouchèrent à pleine vitesse du goulet de Brest, cap à l'ouest. Dans la soirée, quelques rafales d'armes automatiques déchirèrent le silence. La nuit tombée une douzaine de jeunes gens s'emparèrent d'un thonier et firent voile vers l'Angleterre.

En mettant, de bon matin, le nez à la fenêtre, Flora aperçoit les premiers Allemands. Un side-car, au panier recouvert d'une moleskine grise stationne sur le trottoir d'en face. Adossés au mur, deux soldats souples, musclés, minces, discutent ferme. À son corps défendant, elle admire l'allure des jeunes vainqueurs.

Un officier, ganté de noir, épaules de vareuse et casquette ornées de broderies d'argent, traverse la rue. Les deux militaires se redressent, claquent les talons. Cette paire de gifles remet Flora d'aplomb... Elle se mord les lèvres pour ne pas laisser éclater sa rage.

Une centaine de fantassins occupent la commune. La population s'applique à ignorer les intrus qui, dans leur ensemble, font preuve de discrétion.

Dans l'après-midi du 22 juin, un soldat allemand vient rôder aux alentours du manoir. Il s'enhardit, pénètre dans le jardin. D'une fenêtre du premier, Rose l'interpelle. Il réclamait des œufs frais. Elle lui fit signe qu'elle n'en avait pas et le pria de se retirer. Il revint à la nuit, cogna sur la porte d'entrée en vociférant que la maison abritait des aviateurs anglais. Il sommait les habitants d'ouvrir. Saint-Pol Roux et sa fille rejoignirent Rose dans le vestibule. Les coups continuaient de pleuvoir, assaisonnés de menaces de démolir les battants à la grenade. Le poète se résigna à défaire les verrous, à tourner la clé dans la serrure.

Une fois dans la place, l'Allemand dégaina son revolver. Il visita toutes les pièces, inspectant armoires et placards, exigea qu'on lui montre la cave. Au bas de l'escalier, il s'empara du bras gauche de Divine. Le caractère agressif de son attitude ne laissait aucun doute sur ses intentions.

Le « Magnifique » s'interposa. Le soudard tira plusieurs balles, manquant de peu le poète, blessant sa fille à la jambe. Rose se précipita entre le soldat et Divine, pour la couvrir de son corps. Le misérable tua la Bretonne d'un coup de feu dans la bouche. Puis il s'en prit à Divine.

Flora ne put revoir le poète ; dès l'aube, sa fille et lui avaient été transportés à Brest. Il lui fut cependant possible, grâce à sa logeuse, d'entrevoir la dépouille mortelle de Rose au moment de sa mise en bière. Un pansement masquait l'énormité de la blessure, l'odeur du sang transperçait le tampon de gaze.

Flora ne cilla pas, aucune larme ne coula de ses yeux, nul tremblement n'agita son corps. Une haine d'une effroyable intensité avait pris possession de son être, étouffant toute autre sorte d'émotion. Sous l'impassibilité de son visage, dans l'immobilité de son maintien, venait de naître une personne dont le regard brûlait, dont la gorge comprimait des cris de mort, dont l'exécration tétanisait les poings. La férocité d'une sauvagerie primitive l'habitait. Flora connut, en cet instant, le pouvoir que recèlent la soif de la vengeance et le désir de tuer. Elle ne se reconnaissait pas.

La disparition de Joseph l'avait cruellement atteinte, mais les combats en étaient la cause. Le meurtre de Rose était inqualifiable. Pourquoi tirer sur une femme sans défense ?

Condamné à la peine capitale par un conseil de guerre de la Wehrmacht, l'assassin fut passé par les armes.

Les habitants du bourg et des environs assistèrent en foule aux funérailles de Rose. Pendant toute la durée de la messe, au cimetière devant la fosse ouverte, Flora jura de combattre l'occupant.

Elle se reproche sévèrement de n'avoir pas eu le courage de revenir au manoir. Rose l'aurait sûrement reçue, elles auraient échangé leurs confidences, leurs inquiétudes. Divine se serait montrée. Saint-Pol Roux se serait, peut-être, décidé à lui ouvrir son bureau, à lui faire lire ses derniers écrits, à lui confier de nouveaux inédits à recopier.

Reverra-t-elle un jour le poète ? Les souvenirs des semaines de juin-juillet 1939 hantent Flora. Quels chemins le destin avait-il inventé pour la mener dans ce port breton ?

II

Flora avait huit ans lorsque sa mère, ouvreuse au Palais Garnier, l'avait fait assister, en 1924, au défilé du Corps de ballet de l'Opéra de Paris.

La petite fille ne rêva plus qu'à rejoindre une telle féerie. Elle fut admise, deux ans plus tard, à l'École de danse de l'Opéra. Elle garde de sa première année le souvenir d'un ineffable bonheur. Elle s'était acharnée à viser la perfection dans les assouplissements à la barre et dans les mouvements du milieu. La seconde année, son ambition de maîtriser rapidement la technique des figures et des allures de la chorégraphie lui joua un mauvais tour. Elle n'osait plus s'affranchir des rythmes du métronome qu'un professeur mal inspiré avait serti dans son esprit. Il lui était de plus en plus difficile d'épouser la respiration de la musique.

Ses équilibres étaient parfaits, mais des adages sans grâce, des retombées à contre-temps venant gâcher ses envolées désolent ses maîtres. Au cours de ses troisième et quatrième années, ses illusions s'effilochent. On lui laisse entendre que ses chances d'entrer dans le Corps de ballet s'amenuisent au fil du temps. La mort dans l'âme, elle quittera d'elle-même l'École en 1930.

Trois ans plus tard, Flora se tourna vers la comédie. Elle évoque souvent ses débuts au Conservatoire d'Art dramatique. La formation reçue au Palais Garnier l'a aidée. Son répertoire d'attitudes et de mimiques lui confère une certaine supériorité sur ses camarades. L'étendue et la sûreté de sa mémoire ébaubissent élèves et professeurs.

On apprécie son application. Elle se plie sans regimber aux exercices destinés à muscler les cordes vocales, à perfectionner l'articulation des mots, à clarifier le timbre de la voix. On loue son intérêt pour l'histoire du théâtre, son attention au moindre détail d'une mise en scène, sa curiosité à l'égard des décors et des costumes.

Elle marquera bientôt le pas. On lui a reproché de manquer d'originalité. Parfois réussit-elle à tracer le contour d'un caractère, à saisir l'apparence d'un personnage, à mimer ses tics : là se bornent ses talents.

Elle n'arrive pas à sonder les reins et les cœurs. À sa sortie, elle ne fut gratifiée que d'un modeste accessit.

Il en alla tout autrement de ses études scolaires et universitaires. Son amour-propre, son entêtement, sa puissance de travail, son renoncement aux distractions estudiantines lui valurent des brassées de lauriers.

Complété par des leçons particulières, l'enseignement dispensé à l'École de danse avait mené Flora jusqu'au seuil de sa seconde. Elle consacra l'intervalle des trois années écoulées entre sa sortie du Palais Garnier et son entrée au Conservatoire à la préparation de son baccalauréat au lycée Buffon. Les mentions « bien » obtenues à chacune des deux parties de ce diplôme l'incitèrent à superposer aux cours d'Art dramatique ceux d'une licence de lettres et d'une licence d'anglais. Au risque de laminer sa sensibilité, elle s'était elle-même condamnée à de véritables travaux forcés.

Grâce à Dieu, les deux mois qu'elle allait passer chaque été en Angleterre lui procuraient une détente salutaire. Elle était reçue dans la maison de campagne d'un professeur de lettres d'Oxford. Féru de poésie, il lui avait fait apprendre par cœur d'innombrables vers latins, français et anglais pour développer sa mémoire et l'initier aux secrets des prosodies de ces langues.

Les enfants de la maison, leurs cousins et leurs cousines l'entraînaient dans des jeux aussi variés qu'excitants.

Confortée par les mentions venues couronner l'obtention de ses deux licences, Flora se haussa du col et décida de se présenter au concours de l'agrégation de grammaire de 1938. Son nom figura en tête du classement d'admission. Le président de son jury d'examen et un inspecteur général de l'Éducation nationale la convoquèrent au début d'octobre pour lui montrer la liste des affectations possibles. Avant même de l'avoir parcourue, Flora leur représenta que, disposant d'un appartement dans le VIe arrondissement, un poste dans un lycée parisien comblerait ses vœux. Ils lui firent remarquer, en souriant, que selon l'usage il fallait au préalable faire ses preuves en province.

Elle leur demanda s'il était possible de différer une affectation pour laisser au postulant le temps de mener à bien la rédaction d'une thèse de doctorat.

Une telle procédure au demeurant exceptionnelle peut être envisagée, lui répondent-ils, à condition que l'objet de la thèse présente un incontestable intérêt.

Flora abat ses cartes. En France et en Belgique, des poètes se sont affranchis des règles de la poésie classique. Ne se soumettent-ils pas cependant à certaines normes ? Sa thèse se proposerait de détecter dans les poèmes contemporains, les éléments constitutifs de prosodies nouvelles.

Le président du jury et l'inspecteur se consultent. Les lèvres du premier dessinent une moue dubitative. Le second personnage opine chaleureusement. Il l'emporte.

Flora peut désormais se prévaloir du titre d'agrégée de l'Université. Elle sait toutefois qu'il ne la consolera jamais de l'écroulement du rêve de son enfance : ce pas de deux soulevant les applaudissements sans fin d'une assistance en délire. Elle sait aussi que ce rêve la poursuivra jusqu'à sa mort.

Au lieu de s'ensevelir dans une amertume morbide, Flora aurait dû s'épanouir dans la joie de son succès, mais il se pouvait aussi qu'ait pesé sur elle l'ambiance de cette année-là, altérée par la pollution que l'ombre noire des nuées hitlériennes infligeait aux ciels de l'Europe.

Six mois après l'annexion de l'Autriche par le IIIe Reich, les accords signés en septembre à Munich autorisent les Allemands à pénétrer dans les territoires des Sudètes que les Tchèques devront évacuer aussitôt.

Cédant aux illusions rassurantes engendrées par ces pourparlers, une foule est venue à la Gare de l'Est acclamer Daladier à son retour de Bavière.

Flora admet que les gens puissent se féliciter d'une paix préservée mais redoute que cette seconde déculottée franco-britannique ne rende l'avenir plus fragile en incitant Hitler à poursuivre ses exactions.

De plus, Flora se refuse à admettre la réalité d'une blessure secrète dont les vrilles reviennent pourtant, de temps à autre, tarauder son être. En février 1934, une bronchite avait contraint sa mère à s'aliter. Elle se releva trop tôt, traita par le mépris une toux persistante. En mai, une grave hémoptysie nécessita son admission d'urgence à l'hôpital Laennec, vite suivie de son transfert dans un sanatorium d'Hauteville. Flora passa le mois d'août auprès d'elle. À la fin de l'été, son état semblait s'être amélioré.

Au début d'octobre, un télégramme rappelait Flora, la malade agonisait. Elle arriva trop tard. Penchée sur le visage de la défunte, elle ressent l'amer regret de ne pas avoir entouré cette femme comme elle aurait dû.

À son arrivée, l'intendant de l'établissement lui remit une lettre de sa mère. Un émouvant adieu : au lieu de les rapprocher, le temps les avait éloignées l'une de l'autre. Le tremblement d'un trait soulignait un post-scriptum enjoignant à sa fille de prendre rendez-vous, dès son retour à Paris, avec Maître Alain Ducros, 18 rue Euler dans le VIIIe.

L'avocat la reçut courtoisement, l'installa à une table dans une pièce attenante à son bureau et lui remit un épais dossier qu'il la pria de compulser. Personne ne viendra la déranger.

Il lui fallut près de trois heures pour en épuiser la lecture. Trois heures atroces. Les mots capables d'exprimer sa surprise, son désespoir lui échappent : la violence des uns l'effraie, le caractère trop anodin des autres la crispe. Elle en veut férocement à sa mère de ne jamais lui avoir révélé les circonstances de sa venue au monde.

Toute petite, elle réclamait souvent son papa. On lui répondait qu'il n'était pas revenu de Verdun et que cela chagrinait sa maman de parler de lui.

Le dossier lui apprend qu'elle est née d'une banale histoire d'amours de guerre. En septembre 1915, un lieutenant irlandais se remet de ses blessures dans une villa de Louveciennes transformée en centre de convalescence. Une jeune arpète, jolie comme un cœur, est venue retoucher le manteau livré la veille à la directrice de la maison.

Le bel officier et la « petite main » se rencontrent dans le parc, bavardent. Ils se reverront souvent. Leur fille Flora verra le jour le 26 juillet 1916.

Une liasse de feuillets la renseigne sur son père. Il se nomme George O'Brian. Retourné au front, il obtient en août 1916 une permission. Il reconnaît sa fille. Plus tard, il parviendra, après la proclamation de l'indépendance de l'Irlande, à lui faire acquérir la double nationalité irlandaise et française.

Blessé une seconde fois en 1917, il est évacué en Angleterre. En 1918, il rejoint à Boston une mission d'assistance à la formation de la jeune armée des États-Unis. Là, il rencontrera la fille d'un banquier. Ils se marieront en 1919. Il se fait naturaliser américain, crée un cabinet de courtage de valeurs mobilières. Son affaire prospère. Intuitif, il la cède un bon prix en mai 1929. Quelques semaines avant le krach d'octobre, il arbitre les titres américains de son portefeuille contre des actions et des obligations helvétiques. Sa fortune est faite. En revanche, son ménage périclite ; ils n'ont point d'enfant, sa femme le quitte, le divorce est prononcé.

George O'Brian a pris en charge le loyer et les assurances de la rue Saint-Sulpice, les frais de scolarité de sa fille. C'est à lui qu'elle doit ses vacances anglaises. Il a choisi la famille d'accueil, il règle les frais de voyage et d'hébergement, les honoraires du professeur. C'est encore lui qui la comble de cadeaux à Noël. Tout cela se passait par l'intermédiaire de Maître Ducros. Sa mère ne lui en avait jamais soufflé mot.

En reprenant le dossier, l'avocat prévint Flora que le bénéfice de l'assurance-vie que George avait fait souscrire à sa mère à son profit, et dont il avait acquitté les primes, lui serait servi sous la forme d'une pension mensuelle. Mais O'Brian n'avait pas manifesté le désir de rencontrer sa fille.

Flora n'a que dix-huit ans. Ces révélations la plongent dans un irrémissible désarroi. Elle est écartelée entre son père et sa mère. Elle en veut farouchement à sa mère de s'être tue pendant tant d'années, à son père de ne pas désirer la voir.

Pourtant, une voix insistante lui rappelle la reconnaissance qu'elle leur doit, à l'un comme à l'autre, pour ce qu'ils ont fait pour elle.

Il lui faudra précipiter au fond d'un abîme le contenu de ce dossier, n'en parler à personne, éviter d'y penser, l'inhumer dans les couches de pierre et de terre qu'entasseront des années d'un travail acharné.

III

Sans tarder, la jeune agrégée s'attelle à sa thèse.

Courant les librairies, fouinant dans les boîtes des quais, collectionnant les catalogues des maisons d'édition, elle fait l'acquisition de flopées d'ouvrages

Elle nourrit le secret espoir de rencontrer des poètes reconnus.

Deux personnes lui ouvrirent leur porte avec empressement, la première pour lui infliger une mortelle séance de déclamation, la seconde pour la serrer d'un peu trop près.

Elle renonça vite à poster des lettres qui restaient sans réponse, ou à s'entendre répliquer au bout du fil, par la secrétaire ou l'épouse du grand homme, que les feuillets de l'agenda du maître étaient déjà noirs d'obligations à satisfaire et de rendez-vous à honorer.

Max Jacob fut le seul à lui donner signe de vie. Six lignes d'une fine écriture légèrement inclinée vers la droite l'invitaient à venir le voir, le vendredi suivant, à l'abbaye de Saint-Benoît-sur-Loire. Il l'accueillerait à deux heures et demie de l'après-midi.

Il lui fit faire le tour du jardin du monastère, puis la convia à suivre en sa compagnie le chemin de croix dans la basilique. Il la stupéfia par ses agenouillements, ses coulpes, ses soupirs. Il ne s'agissait pas d'attitudes ostentatoires d'un aloi discutable, mais d'indicibles sentiments lui inspirant les gestes et les poses propres à exalter ses oraisons. Il demeurait toutefois assez maître de lui pour ne pas se laisser enserrer dans les spires de l'hystérie.

Flora commit l'irréparable sottise d'interrompre la longue méditation du poète. Consciente de son impair, elle se trouble. Ses questions sur les écrits et les gouaches de son hôte s'embrouillent.

En guise de réponse, Max Jacob lui accorda l'insigne privilège de l'une de ses plus éblouissantes clowneries. En prenant grand soin de demeurer au centre de la douche, il déversa sur son œuvre et sa personne un déluge d'ironies dont les éclaboussures étaient visiblement destinées à sa visiteuse.

Il s'aperçut bien vite de son désarroi. Navré de l'avoir désarçonnée, il mit instantanément fin à son numéro. Sa figure lunaire retrouva sa bienveillance naturelle. Il s'efforça de la consoler.

Il la persuada de se rendre en Bretagne, à la belle saison, pour aller voir, à Camaret, Saint-Pol Roux le « Magnifique ». Il lui adressera, en temps voulu, un mot pour le prévenir de sa venue.

— « Il vous comprendra », lui assure-t-il.

« Vous vous prendrez au sérieux, tous les deux. »

« Il est le plus grand de nous tous ! Il est celui qui connaît le mieux les poètes de notre temps. »

Max Jacob l'a reconduite jusqu'au portail de l'abbaye. Son indéfinissable sourire reflète le regret des moqueries dont il l'a aspergée. Au moment de la quitter, il prend ses deux mains dans les siennes, les serre longuement, chaleureusement. Elle est surprise de l'émoi que la pression des paumes du poète sur ses phalanges provoque en elle.

Dans la matinée du 16 juin 1939, Flora est descendue à l'Hôtel de la Marine à Camaret. À la fin de son déjeuner, elle a demandé à la serveuse de lui indiquer l'endroit où demeure Saint-Pol Roux.

— « Elle ne peut se tromper. Au bout du quai, sur sa droite, elle trouvera le chemin de Pen-Hir. Elle longera bientôt les alignements de pierres levées. La maison du poète les surplombe. On la reconnaît à ses huit tourelles. »

Une Bretonne lui ouvre, la conduit au salon, lui avance un fauteuil, monte prévenir le maître de céans. Flora se lève. Cérémonieux, le « Magnifique » la prie de se rasseoir. Elle lui conte sa visite à Max Jacob, l'entretient de la thèse qu'elle envisage de soutenir. Il l'écoute, ne dit mot, ne la garde pas longtemps, mais l'invite à revenir dès le lendemain matin.

Il n'a pas précisé l'heure du rendez-vous. Flora juge convenable de se présenter au manoir à neuf heures et demie. La Bretonne la guettait.

— « Monsieur Saint-Pol n'est pas encore prêt. La demoiselle aimerait-elle avoir du café en attendant ? »

La servante se nomme Rose. Elle est dans la maison depuis trente ans. Monsieur Saint-Pol est entré au moins de janvier dans sa soixante-dix-neuvième année. Après le décès de sa femme en 1923, elle n'a pas eu le cœur de laisser seuls le veuf et sa fille Divine.

Sur le fourneau noir de la cuisine trône une énorme cafetière. Le cuivre du couvercle du bain-marie brille de tout son éclat.

Assise à une longue table de châtaignier patinée par le temps, Flora a bientôt devant elle une « bolée » de café au lait et une motte de beurre salé guillochée de fleurs de glycine. Rose, debout, découpe dans une miche ronde des tranches de pain qu'elle beurre généreusement.

Le relief des gencives et des dents s'imprime dans la bienheureuse fraîcheur du beurre imprégnée de la brûlante saveur du café.

Rose poursuit son monologue. Elle l'agrémente de confidences et d'indiscrétions. La visiteuse n'est pas longue à comprendre que ses propos recèlent une invite implicite à venir à confesse à son tour.

Elle avoue sa timidité, sa réserve naturelle, la somme de travail qu'impliquent les études qu'elle a entreprises. Elle évoque le quartier qu'elle habite, lui décrit l'appartement de la rue Saint-Sulpice.

Rose lui demande où elle s'est logée ? L'hôtel doit être bien cher ! Si elle le souhaitait, elle pourrait disposer d'une chambre chez une de ses parentes, l'une de celles qu'elle loue l'été aux étrangers. Sa cousine pourrait même lui préparer ses repas.

Le « Magnifique » appelle Flora. Il la dévisage quelques instants, lui propose une promenade.

Assez longs, très fournis, ses cheveux blancs sont rejetés en arrière. Le triangle de sa barbe allonge son visage. Touffus, ses sourcils gris abritent la transparence de son regard. Il est vêtu d'une chemisette noire à manches courtes et d'un pantalon foncé, serré à la taille par une ceinture de cuir tressé. Il porte des chaussures de toile blanche. Il fume une pipe dont le fourneau s'emmanche sur la minceur d'un long tuyau bagué d'argent.

Ils longent les sommets de la falaise. Le bleu-pâle du ciel se confond avec l'horizon de l'Océan. La marée montante assaille le contour des roches.

Le projet de Flora l'indiffère. Il se moque de ce que les profanes peuvent penser des œuvres des poètes. Son attitude se modifie lorsqu'elle lui apprend son passage à l'École de danse et au Conservatoire. Un éclair de gaieté a traversé ses yeux. Elle récitera ses vers, travaillera plusieurs scènes de ses drames.

Un rite s'est instauré. À neuf heures du matin, café au lait et tartines attendent la jeune personne. Allant et venant de la table au fourneau,

Rose lui parle du pays et de ses habitants. Sans aucun doute, au manoir comme dans le bourg, son opinion doit compter !

À neuf heures et demie, Flora monte à la « Chambre Haute », le cabinet de travail du « Magnifique ». Une litière de feuillets s'étale sur son bureau. Il lui fait déchiffrer toutes sortes de textes : sonnets, proses cadencées, tirades de personnages insolites aux noms extraordinaires.

Que le soleil brille, qu'il vente ou qu'il pleuve, le poète entreprend à onze heures sa promenade quotidienne. Il raconte sa jeunesse à Marseille, ses premières années en Bretagne dans la chaumière de Roscanvel, la construction du manoir.

Il évoque ses amis d'autrefois, revient souvent sur le souvenir des randonnées dans l'automobile d'Antoine, le fondateur du « Théâtre Libre ».

Il s'arrête, de temps à autre, pour rallumer sa pipe, décrire le paysage, lancer un morceau de bois à son chien, nommer les oiseaux nichant dans les fissures de la falaise.

Bientôt, le « Magnifique » invitera la jeune personne à apprendre une partie de ses rôles de prédilection. Il lui confie des inédits ; elle les recopie le soir dans sa chambre. Ces manuscrits la fascinent. Le mouvement de l'écriture dénote l'avancée de l'œuvre. Achevée, elle s'ornemente d'une calligraphie précieuse. Aux stades antérieurs, la plume a couru à la diable, grimpant et dévalant en larges ondulations. Tout au long de ces montagnes russes, une multitude de flèches balisent une profusion d'inversions intercalaires et de cartouches, témoignages d'innombrables repentirs.

Les croix formées par les « T » impressionnent Flora. Ces croix esquissées par la main qui se hâte, ces croix plus accusées de la main qui s'applique, confèrent à certains feuillets l'aspect de parcelles cadastrales semées de tombes, cousinant avec les compositions de Piet Mondrian.

Flora découvre les dimensions du vieil homme. La fantasmagorie d'un rêve intérieur constitue la réalité de son existence. Son personnage, son cadre de vie n'offrent que des reflets affaiblis de son être et de son univers. Il s'était persuadé qu'il poursuivait l'œuvre du Créateur.

Il avait du génie. Il en possédait le souffle. Ses strophes venaient d'aussi loin que les vents qui forment l'énormité des houles. Il savait fondre le connu et l'inconnu, les certitudes et les doutes, l'unique et le multiple, la vie et la survie, la sagesse et la folie, dans un délire d'images capables de créer l'espace qu'elles allaient meubler.

Par-delà le poète, se dressait un fabuleux dramaturge. Auteur à vingt-cinq ans d'un drame en cinq actes et dix tableaux : *La Dame à la faulx*, il faisait évoluer autour de quatre ou cinq personnages fondamentaux : Magnus, l'Astrologue, Mathusalem, Divine, « Elle » – La Mort –, un nombre insensé de rôles de premier et de second plans, environnés d'une foule de figurants. Les moindres gestes, les moindres répliques, criaient de vérité, tremblaient d'étrangeté. Toutes et tous possédaient leur exacte utilité pour annoncer, symboliser, remémorer, au bon moment, les éléments complexes d'une gigantesque action.

Flora se plaisait à imaginer ce qui serait advenu si un souverain ou un mécène avait procuré au « Magnifique » les moyens de sa démesure et si un compositeur, de la stature d'un Berlioz, s'était intéressé à ses œuvres.

Seraient alors nés, dans d'opulentes mises en scène, d'extraordinaires opéras conjuguant des paroxysmes d'émotions poétiques et d'envolées lyriques, assises sur d'incomparables orchestrations.

Les premières séances de déchiffrage dans la « Chambre Haute » furent sévères. Saint-Pol Roux la reprenait sans cesse, l'adjurant de lire lentement, de la manière la plus naturelle, en observant scrupuleusement certains points d'orgue, en imaginant une vaste salle jusqu'au fond de laquelle il lui faudrait faire entendre sa voix.

Matinée après matinée, la teneur de ses objurgations procédait des mêmes antiennes. Son labeur passé lui a fait acquérir un métier appréciable. Il ne doit pas lui suffire de l'exercer tout benoîtement, il lui faut mettre en jeu sa sensibilité. Son savoir technique la ligote. Ses réflexes sont le fruit de sa réflexion, presque jamais de son instinct. Son cerveau imprime à son cœur un rythme artificiel. Il est grand temps qu'elle renonce à sa manie de l'analyse, à sa logique destructrice, pour découvrir, enfin, ce qui tord les tripes des poètes.

Les impulsions viscérales doivent retrouver leur place et leur importance : c'est à l'influx émotif qu'il appartient de provoquer les inflexions de la voix.

Strophe après strophe, verset après verset, réplique après réplique, le « Magnifique » lui révélait les émotions qui avaient guidé sa plume, ou à l'inverse, celles que la musique du verbe avait fait naître en son âme.

Jamais un professeur au Palais Garnier ou au Conservatoire ne s'était donné autant de mal pour elle.

Au cours de leurs promenades, il lui parlait fréquemment d'André Antoine, évoquant les idées sur lesquelles son ami avait fondé sa révolution théâtrale.

Le « Magnifique » a recommandé à Flora de graver dans son esprit une remarque à laquelle Antoine tenait particulièrement. Une pièce constitue une sorte de duel entre le spectateur et l'acteur. Elle présente un caractère comique, lorsque le public « affranchi » par une scène antérieure, connaît déjà ce que l'acteur qui vient d'apparaître, pour la première fois, ignore encore : la salle détient un indéniable avantage sur le jocrisse. La pièce est dramatique lorsqu'elle met l'assistance, du début à la fin, dans l'impossibilité de prévoir la suite des événements. La domination reste alors l'apanage du clan des comédiens. Ces deux situations déterminent les différences de climat auxquelles doivent répondre les manières de jouer.

Flora progresse. Le poète l'a invitée à remonter au manoir deux ou trois après-midi par semaine pour répéter des passages de ses rôles.

Pour échauffer sa voix, il lui demande, au préalable, de lui réciter quelques-uns de ses sonnets puis, lui donnant la réplique, la met en scène.

Il l'interrompt souvent, lui enjoignant de reprendre plusieurs fois de suite l'attaque d'une tirade. Il incurve un parcours, déplace l'endroit d'une station. Souverain, majestueux, il officie.

Flora est persuadée qu'en de tels moments sa vision reculait les murs du salon pour l'élargir aux dimensions d'une salle d'opéra. D'immenses décors devaient se dresser devant ses yeux, les figurants se multiplier, les costumes rutiler, l'auditoire bruire.

Un jour, il la pria de réciter les vers destinés à célébrer les funérailles d'un poète :

Allez bien doucement, Messieurs les Fossoyeurs.

Elle entreprit de les mimer et de les danser. La chorégraphie s'imposait. Les pas piquaient, martelaient, prolongeaient naturellement la cadence des mots. Le poème tenait enfermés dans un cercueil imaginaire nombre de ces accessoires qu'utilisaient si volontiers au début du siècle poètes et symbolistes. Ce qui aurait pu n'être que bric-à-brac de pacotille, s'était mué, sous la plume de Saint-Pol Roux, en un émouvant trésor digne d'être confié à la garde des anges. Tous ces objets hétéroclites : « *Guirlandes... Chimères... Amphores... Sphinx... Diadèmes... Buccins... Cothurnes...* » fournissaient d'eux-mêmes à la danseuse les figures appropriées à leur illustration.

Saint-Pol Roux s'était pris au jeu. Il se saisit du texte pour le relire, adaptant le rythme de ses paroles à celui de la danse, ou bien pressant ou retardant du geste la ballerine, pour accélérer l'inventaire du trésor ou retrouver la juste lenteur qui sied à un cortège funèbre.

Quelques jours plus tard, aux prises avec le deuxième acte de *La Dame à la faulx*, Flora bataillait avec le rôle de la Mort.

Elle venait de se lancer dans la tirade de la « vendangeuse d'yeux ». Elle ne put dominer le trouble que lui causait le septième vers :

Un fouillis d'yeux d'où gicle un reste de regard

Blanche comme un linge, elle crut défaillir, dut se raccrocher au dossier d'un fauteuil. Le poète ne broncha pas, l'obligea à s'asseoir, lui conseilla de ne plus penser à rien pendant quelques minutes. Il lui tendit le manuscrit en lui demandant de relire lentement, plusieurs fois de suite, le passage sur lequel elle venait de buter.

En reprenant ses esprits, Flora éprouva la sensation qu'un prodige venait de s'opérer. Un écran de parchemin s'était déchiré, une vitre opaque venait de voler en éclats, elle se sentait baignée d'air et de lumière. Elle relut une dernière fois le texte, rejeta le livret, revint au milieu du salon.

Elle enchaîna et joua comme si une corbeille d'yeux fraîchement énucléés venait d'être déposée à ses pieds.

Lorsqu'elle se tut, le « Magnifique » se leva. Sans prononcer un mot, il la serra dans ses bras. Ses paupières étaient noyées de larmes.

IV

La logeuse de Flora compte de nombreux neveux dans le bourg et ses environs. Parmi ceux-ci, elle a un faible pour l'inséparable trio de deux frères, Yves et Jean-François, et de leur cousin germain Joseph. Tous trois sont embarqués sur le langoustier appartenant au père des deux frères.

Cette année-là, peu après leur départ pour leur campagne de printemps sur les côtes de la Mauritanie, une voie d'eau les a obligés à regagner Camaret. L'avarie est de taille. La principale pièce de rechange tarde à être livrée. Le manque à gagner va rendre la saison désastreuse. Le père se débat avec les assureurs.

Les trois garçons étaient en train de narrer leurs ennuis à leur tante, lorsque Flora, rentrant pour le dîner, les vit pour la première fois. Elle se demanda s'ils étaient simplement venus prendre le café ou bien si, poussés par la curiosité, ils avaient voulu regarder de près la « Parisienne » qui joue la comédie chez Monsieur Saint-Pol.

Massifs, bruns, les deux frères bavardent volontiers ; leur cousin est moins loquace, ses cheveux blonds tirent sur le roux. Ils se montrèrent enchantés d'elle. La réputation que lui avait faite Rose d'être simple et directe ne leur paraissait pas usurpée. Elle les questionna sur leur métier, sur leur bateau. Pourrait-elle le visiter ?

Ils lui promirent de la conduire au chantier pour la faire monter à bord du langoustier. Si elle ne craignait pas la mer, ils dénicheraient facilement une embarcation pour l'emmener pêcher près de la côte.

Dès lors, le temps de Flora se partagea entre le manoir et la compagnie des marins pêcheurs.

Hissé sur l'une des cales du chantier, leur bateau semblait énorme. Elle fut intriguée par les centaines de petits orifices qui transperçaient le milieu de ses flancs. Ils servaient, lui apprirent-ils, à faire entrer l'eau de mer dans les viviers intérieurs où l'on conservait les langoustes capturées. Elles arrivaient ainsi vivantes au port. Certaines crevaient au cours du trajet du retour. Chaque matin, il incombait au mousse de plonger dans le magma des crustacés pour en retirer les bêtes mortes.

Elle pénétra dans le poste d'équipage, elle le trouva exigu, mais elle sut comprendre ce que cet espace confiné représentait pour eux : le repos, la tranquillité, le refuge contre l'eau, le vent, le bruit. Ils se montrèrent surpris de l'agilité avec laquelle Flora avait gravi et descendu l'échelle dressée contre la coque.

Les garçons commençaient leur travail à l'aube. Les jours où Flora disposait de son après-midi, ils venaient la chercher chez leur tante.

Elle était devenue leur bien commun. Ils se surveillaient étroitement, lui semblait-elle. Il se pouvait aussi que Rose ait édicté des consignes draconiennes à son endroit.

Spontanés, confiants, heureux d'un rien, ils la taquinaient parfois, sans l'ombre d'une méchanceté. Joseph s'exprimait avec plus de facilité que ses cousins. Ses remarques venaient de loin. Il s'émerveillait des spectacles de la nature, s'inquiétait du sens profond de la vie. L'étendue et la diversité de ses lectures avaient interloqué Flora. Il n'y avait là rien de mystérieux. L'un des administrateurs de la « Transat » possédait une villa à Camaret. Il en avait confié l'entretien courant à Joseph et l'avait autorisé à piocher dans sa bibliothèque.

Entre eux, les trois pêcheurs parlaient le breton, mais leur français, modulé par l'accent chantant de la presqu'île, n'accusait aucune faille. Lorsqu'en présence de Flora, ils revenaient au breton, Joseph ne manquait jamais de lui traduire leurs conversations.

Elle n'oubliera pas de sitôt sa première partie de pêche. Les trois garçons avaient emprunté un canot à moteur à un plaisancier de Roscanvel. Ils s'étaient munis, elle n'en croyait pas ses yeux, de vieux manches de parapluie bardés de hameçons sur toute leur longueur. Ils stoppèrent au milieu de la rade de Brest et laissèrent l'embarcation dériver, tout en saupoudrant la surface de l'eau d'une farine grisâtre. En quelques secondes, la coque fut environnée d'une effervescence de zébrures argentées. Ses compagnons enfonçaient, à la verticale, leurs manches de parapluie dans ce bouillonnement et d'un coup sec les ramenaient en l'air. Chaque fois, plusieurs maquereaux étaient accrochés aux hameçons. Ils confièrent à Flora l'un des manches, elle ne prit rien, abandonna. Ils l'obligèrent à persévérer, jusqu'à ce qu'elle attrape le tour de main voulu et ramasse, elle aussi, plusieurs poissons.

Ils la félicitèrent, prétendant que ce style de pêche était plus difficile qu'il n'en avait l'air. Ce soir-là, ils dînèrent ensemble chez la logeuse de Flora.

« Il n'existe guère de meilleur met, que le maquereau grillé dans les trois heures de sa prise, » affirmait la parente de Rose.

Yves, Jean-François et Joseph embarquèrent plusieurs fois Flora sur un côtre noir aux voiles brunes rapiécées de rouge. Ils mouillaient à toucher les falaises et passaient des heures à plonger et à remonter leurs lignes. Ils ne s'interrompaient que pour ingurgiter un copieux casse-croûte de pain de campagne, de beurre salé et de saucisson, arrosé de vin rouge que l'on buvait au goulot. C'est toujours à elle qu'ils tendaient la bouteille en premier.

Un jour, Flora fut malade comme une bête. Le dandinement du bateau, les reflets mouvants des nuages sur la levée de la houle eurent raison de sa volonté de résister aux nausées. Ils lui surent gré de ne pas s'être plainte et d'avoir énergiquement refusé que l'on rentre au port avant la fin de la pêche.

Un méchant grain les surprit, un soir, au fond de l'une des anses de la presqu'île de Quélern. Les garçons nouèrent un filin muni d'un flotteur à la chaîne de l'ancre, hissèrent la grand-voile en un rien de temps, établirent un tourmentin à l'extrémité de l'interminable bout-dehors, mirent du vent dans la toile et balancèrent le mouillage par-dessus bord. Ils se sortirent de justesse du coin où ils s'étaient aventurés. Elle admira la rapidité de leurs réflexes, l'harmonie et la beauté de leurs gestes, la sûreté de leur manœuvre, et puis ils avaient l'air si heureux.

Le retour à Camaret se fit à grande allure, contre un vent violent, dans des gifles de pluie. Ils étaient au moins six cotres à courir sur des routes parallèles, dans une identique inclinaison de leurs matures. Elle ne voulait pas croire que leur bateau gitait aussi fort que les autres. Des écharpes de nuages gris-foncé se précipitaient à leur rencontre masquant et démasquant tour à tour les voiles avoisinantes. Flora avait calé son épaule au creux de celle de Joseph.

Ce fut là sa dernière sortie. Le langoustier remis à l'eau, ses amis avaient fort à faire pour parachever les ultimes mises au point et mettre à bord tout ce que nécessitait la campagne qu'ils allaient reprendre.

En s'embarrassant de mille circonlocutions, Yves, Joseph et Jean-François vinrent, deux jours avant leur départ, demander à Flora, si elle leur ferait le plaisir d'aller danser avec eux à Morgat. L'orchestre, engagé chaque année par le Grand-Hôtel, était là depuis trois bonnes semaines. Ils pensaient ne pas trop mal valser, mais ils étaient tout intimidés d'inviter une demoiselle de l'Opéra de Paris. Elle sera heureuse de sortir en leur compagnie, leur répondit-elle, mais elle revendique la palme de la timidité.

Le lendemain soir, la fourgonnette « Juvaquatre » du père d'Yves, l'attendait, en avance sur l'heure convenue. Yves conduisait, il la prit à côté de lui. Joseph et Jean-François s'étaient casés à l'arrière, sur des tabourets de vachère.

Ils arrivèrent trop tôt. La salle de bal de l'hôtel était encore vide. Point de serveurs en vue. Les trois garçons ne pipaient mot. Eux, si gais, si libres dans la souplesse de leurs mouvements lors de leurs escapades en mer, semblaient ligotés dans leurs costumes de serge bleue, pétrifiés par une gêne contagieuse.

Le jour tombait, une électricité parcimonieuse le relayait à regret. Seul, l'un des trois lustres était allumé, les ampoules des appliques rougeoyaient faiblement, distillant dans la salle une atmosphère de buffet de gare, aux heures creuses de la nuit.

Flora aurait dû proposer à ses trois compagnons d'aller arpenter la jetée pour attendre la venue du personnel. Elle n'osa. Elle était leur invitée. Elle les aurait peut-être froissés en prenant une telle initiative. Ils auraient pu s'imaginer que l'endroit lui déplaisait.

Les minutes s'éternisaient. La porte du fond s'ouvrit enfin. Les musiciens traversèrent la salle, prirent place sur l'estrade. C'était un orchestre de vieilles demoiselles aux chignons gris, aux jupes noires, aux corsages de satin blanc-cassé passablement défraîchis.

La pianiste donna le *la*. Les quatre autres : deux violonistes, une alto, une violoncelliste, accordèrent leurs instruments sans se presser. Elles finirent par se décider à jouer « de la musique légère » comme on disait à l'époque.

Elles jouaient plat, dans l'ennui ressassé d'un répertoire démodé. Courtaude, forte, indécente dans sa manière d'être assise, la violoncelliste sautait parfois une ou deux mesures. La pianiste, maigre, anguleuse, la lèvre inférieure tendue en avant, les lorgnons en bataille, s'efforçait de contenir par un souffle vertical la goutte perpétuelle qui perlait à son nez. L'attention de Flora s'était braquée sur ce nez tranchant, rosâtre sous la poudre de riz ; elle supputait le temps que mettrait la goutte à tomber, la suivante à se former. Ses amis devaient la sentir absente, peut-être lui en vouloir.

Elle tressaillit lorsqu'ils lui demandèrent ce qu'elle souhaiterait prendre. Une serveuse était plantée devant leur table. Elle avait omis d'apporter la carte, et ils n'avaient pas songé à la lui réclamer. Flora ne leur fut d'aucun secours, elle se rallierait à leur choix. Joseph rompit le silence en décidant que, pour ce dernier soir, on boirait du champagne.

Les vieilles filles continuaient à débiter sans conviction des fragments de « Madame Butterfly » et des « Cloches de Corneville ». Une trentaine de personnes, sans âge défini, occupaient plusieurs tables. Le champagne tardait à être servi. La gêne des garçons empirait. Reprise par sa lucidité abstraite d'intellectuelle, Flora disséquait la situation.

La pianiste attaqua une valse. Yves l'invita à danser. Ce fut atroce. Au lieu d'écouter l'orchestre et de suivre le danseur, elle s'entêtait à battre les trois temps dans sa tête. Elle se raidissait, résistait à son cavalier. Elle sentait Yves malheureux, décontenancé, déçu, humilié. Elle était furieuse, contre elle-même, contre ses compagnons. Leur couple était seul sur la piste, complètement désassemblé. Elle devait être ridicule et les vieilles filles ne cessaient de bisser et de trisser leur rengaine.

Le champagne, du Mumm cordon rouge, la rasséréna. La bouteille à peine entamée, Joseph en commanda une seconde.

Avec un peu plus d'entrain, le quintette se lança dans la première des trois valses du film de Pierre Fresnay et d'Yvonne Printemps. Joseph invita la « Parisienne ». À son premier contre-temps, il lui décocha un « mais obéissez donc ! » péremptoire qui la sidéra, tandis qu'il la serrait et la soulevait presque brutalement.

Dans l'instant, le rythme de la valse empoigne la danseuse. Ses muscles se dénouent. Elle s'abandonne aux triolets du mouvement.

Joseph la pria de l'excuser de sa brusquerie. Il espérait qu'elle ne lui en voudrait pas. Non, elle était heureuse. Elle venait de retrouver la joie de la danse. Elle aurait aimé avoir ses chaussons, monter sur les pointes. Elle se détacha, se mit à virevolter seule, entreprit les figures d'une variation, vint rejoindre son partenaire. Les lorgnons de la pianiste battaient vigoureusement la mesure. Trois ou quatre tables applaudirent.

Flora demanda à Jean-François, puis à Yves de la refaire valser, mais deux fois sur trois c'est avec Joseph qu'elle dansait. Roman de Delly, se moquait-elle. Il s'agissait de bien autre chose. Joseph dansait de superbe manière et elle s'accordait à merveille avec lui.

Au cours de leur dernière valse, il lui avoua qu'il aimerait lui parler. Redoutant d'être mal accueilli, il ne savait comment s'y prendre. Elle éprouvait de l'amitié pour lui et serait heureuse de l'écouter. Quand ils la déposeraient chez leur tante, elle monterait prendre sa pélerine et redescendrait l'attendre derrière la porte du rez-de-chaussée. Il n'aurait qu'à revenir à pied la chercher. Ils grimperaient ensemble à la pointe de Pen-Hir pour voir le jour se lever.

La nuit était claire, douce, romantique. Ils dépassèrent les pierres levées, la silhouette du manoir Coecilian se détachait sur le ciel. La pente de la route s'accentuait. Au sommet de la falaise, elle s'assit sur le tapis de végétation couvrant le sol. Joseph s'étendit auprès d'elle et de la manière la plus naturelle du monde laissa sa tête rouler sur ses genoux. Flora l'emprisonna entre ses bras, pressa ses seins contre son visage. Il lui raconta son existence. Ils échafaudèrent leur avenir.

En gravissant le chemin, il lui avait fait part du rêve qui l'obsédait depuis le soir où il l'avait vue chez la cousine de Rose. C'est une femme comme elle qu'il veut épouser. Il ne retrouvera jamais sa pareille. Mais il sait que ni elle, ni, sans doute, sa famille n'accepteraient comme mari et comme gendre un marin pêcheur. Ce serait peut-être son oncle et sa tante qui trouveraient à redire, lui répliqua-t-elle. Elle est libre de son choix et, depuis ce soir, elle sait qu'ils seraient heureux l'un avec l'autre, comme le seront leurs enfants à venir.

Joseph avait onze ans lorsqu'il perdit sa mère. Vive, rieuse, pieuse, aimante, elle l'avait baigné de tendresse. Elle savait, cependant, faire preuve de sévérité lorsqu'il se montrait rétif. Le père naviguait sur les longs courriers des « Messageries Maritimes ». Chacun de ses congés était une fête que venait trop vite attrister la perspective d'un nouveau départ.

En 1922, une péritonite emporta la jeune femme. Le père était au loin. À son retour, il s'effondra. Quelque temps plus tard, il se remaria avec une Corse à Marseille. Il ne revint jamais plus en Bretagne.

Joseph fut recueilli par le ménage du frère de sa mère. Pas un jour ne se passe, sans qu'il ne revoie l'image de la morte : une morte figée dans la jeunesse de ses traits. Il va bientôt atteindre l'âge qu'avait sa mère lorsqu'on l'a enterrée. Il retrouve au creux des bras de Flora la tendresse dont il rêve depuis tant d'années.

Ils convinrent de se marier après la Toussaint. Son bateau serait déjà revenu à Camaret. Il quitterait la pêche. L'administrateur de la « Transat » lui avait proposé un embarquement sur l'un des paquebots de l'Atlantique Nord. Les allers et retours du Havre à New York s'effectuent rapidement et les marins sont assez souvent à la maison. Flora décrocherait vite un poste de professeur au Havre ou à Rouen.

Ils auraient des enfants, trois ou quatre, au moins. Ils construiraient un bonheur tranquille.

L'aube pointait. Le froid les saisit. Ils redescendirent vers le bourg. Au cours du trajet, après une longue hésitation, elle lui avoua l'histoire de son père et de sa mère. Joseph lui déclara que cette confidence la rendait encore plus proche de lui.

Le langoustier appareilla à la marée de onze heures. Flora était sur le quai au milieu des familles des pêcheurs. Elle quitta Camaret le surlendemain.

V

Flora retrouva Paris sans plaisir. Rues et avenues macéraient dans la chaleur accablante de la fin juillet. La demi-obscurité de son appartement ménagée par le furtif entrebâillement des persiennes, le silence des pièces, exaspéraient son impatience, accentuaient sa lassitude. Elle ne savait plus très bien comment allaient s'écouler les prochains mois. Tout s'était passé d'une manière tellement inattendue. Ses six semaines de vacances bretonnes l'avaient changée, l'incitant, peut-être, à redevenir elle-même. Sa sensibilité laminée par des années de labeur inhumain venait de ressusciter. Avait-elle été envoûtée ?

Elle demeurait stupéfaite d'avoir, pour la première fois de son existence, cédé le pas à une volonté étrangère à la sienne, la faisant s'abandonner aux flux de ses émotions, à la béatitude du rejet d'un harnais enfin débouclé, à la faiblesse d'une nudité sans défense ?

La pression des mains de Max Jacob sur les siennes amorça, sans doute, l'évolution de sa mue, mais seule l'emprise du « Magnifique » lui donna la force de lacérer le parchemin qui lui masquait la réalité des êtres et des choses.

À la Sorbonne, lassés de la voir refuser la moindre invitation, assommés par son côté bas-bleu, ses condisciples la tenaient à distance. En jouant sur les mots, ils l'avaient surnommée Rosa la rose, horticole ou renoncule.

Les marins pêcheurs de Camaret lui révélèrent les bienfaits de l'amitié masculine. Inquiète, sans vouloir se l'avouer, de la violence du grain que le cotre noir s'efforçait de remonter pour s'écarter des récifs, c'est en toute confiance qu'elle avait trouvé refuge au creux de l'épaule de Joseph. Et sa brusque injonction de vouloir bien se plier au rythme du cavalier lui avait fait pleinement vivre la joie de la danse, en démantibulant, dans l'instant, son métronome cervical. C'est à ce moment-là qu'elle éprouva la certitude de leur mutuelle appartenance.

Puis, sur la falaise de Pen-Hir, en pressant le visage de Joseph contre elle, Flora s'était abandonnée aux abîmes de la tendresse humaine.

Étendue sur son lit, dans la pénombre de sa chambre, elle s'ausculte. Une intime conviction la persuade que rien ne se serait passé, si l'atmosphère et les paysages de la Bretagne ne l'avaient subjuguée, dès les premières heures de son arrivée.

Elle incriminait la lumière : cette lumière bretonne lavée par l'Océan, brossée par le vent, à laquelle tant de peintres se sont laissés prendre ; cette lumière à la fois nette et vibrante, légère et dense, qui bouscule les perspectives pour éloigner, les jours clairs, un horizon qu'elle dessine avec la précision d'une pointe sèche. Cette lumière adoucit les bleus, souligne les verts, fait hurler le jaune des ajoncs, colore les gris, le gris des ardoises luisantes de soleil ou ruisselantes de pluie, le gris du défilé des nuages fuyant à l'allure des suroîts. Il faut que le ciel se couvre complètement pour l'éteindre. Encore sait-elle tirer parti des plus fugitives déchirures de la nuée, profiter de ses moindres interstices, pour affirmer la permanence de sa présence. La nuit doit lutter avec elle tout au long d'interminables crépuscules pour en venir à bout.

Cette lumière recèle en elle un certain silence, comme si elle jalousait les bruits. Elle ne les supprime pas pour autant, mais elle parvient à les coiffer et à les confondre, comme si elle voulait empêcher les humains de leur prêter une trop exclusive attention.

La nuit bretonne rend aux sons leur individualité en leur conférant parfois d'inquiétantes significations. Flora avait souvent surpris des femmes en train de se signer en entendant le grincement des essieux d'une charrette, les pas d'un cheval, le beuglement d'une corne de brume. Pour un peu, elle les aurait imitées.

Flora redescend sur terre. Ses fiançailles ont modifié sa façon d'envisager l'avenir. Elle vient d'écrire à l'inspecteur général pour lui annoncer son prochain mariage avec un marin du Havre. Elle ne renonce pas à préparer son doctorat, mais souhaiterait recevoir, lors de la prochaine rentrée, une affectation dans un lycée normand. Dans sa réponse, le haut fonctionnaire lui présente ses vœux de bonheur, l'encourage vivement à poursuivre sa thèse, regrette qu'aucun poste ne soit disponible en Normandie. Il lui offre une classe de première au lycée de jeunes filles d'Amiens, à trois heures du Havre en chemin de fer ou par la route.

Elle accepte, va passer quelques jours dans sa future résidence. Elle loue un appartement mansardé en face de la cathédrale. Son propriétaire, un magistrat en retraite, est sympathique. Elle lui demande où elle pourrait trouver une voiture d'occasion. Il lui recommande son garagiste.

L'artisan lui propose une 202 Peugeot et lui consent un crédit de six mois. Elle se laisse tenter. Il lui indique un agent d'assurances, s'occupe de sa carte grise, lui fait prendre le volant pendant deux bonnes heures pour lui mettre la voiture en main. Flora rentre à Paris. La canicule l'anéantit. Elle a encore deux mois de vacances devant elle. Il lui faut trouver une villégiature dans une région où elle pourra se remettre au travail dans la fraîcheur et le calme. Elle pense au Jura.

On lui a recommandé une auberge isolée à une vingtaine de kilomètres d'Hauteville.

Les fenêtres de sa chambre lui offrent une vue reposante sur une agréable vallée. Le jardin borde la lisière d'une forêt de sapins.

Ses bagages s'encombrent d'une lourde cantine, où elle a fourré en vrac les livres et la documentation intéressant sa thèse. Elle conserve, soigneusement classées dans une mallette, les transcriptions des inédits que le « Magnifique » lui avait prêtés à Camaret et les notes personnelles rédigées chaque soir, chez sa logeuse, pour résumer et commenter ce que le poète lui avait appris dans la journée.

Elle laissa passer quelques jours avant de se rendre au cimetière d'Hauteville. Les ressentiments qu'avait fait surgir la lecture du dossier détenu par Maître Ducros, s'étaient atténués. Cinq années s'étaient écoulées mais, mieux encore que le temps, la manière dont Joseph avait répondu à ses confidences lui avait rendu une bonne part de sa sérénité.

Face à la croix gravée sur la pierre tombale, Flora s'évertue à oublier ses griefs. Elle aurait aimé avoir Joseph à ses côtés. Ils devraient, elle et lui, se résigner à l'absence de leurs mères à leur mariage, et leurs enfants n'auraient point de grands-mères.

Elle voudrait réimplanter dans son esprit les images heureuses de son enfance, son émerveillement au défilé du corps de ballet de l'Opéra de Paris, ses battements de mains au déballage des deux poupées jumelles reçues le jour de ses dix ans. Cet envoi était assorti de deux berceaux et d'un landau biplace.

En 1926, la maison de couture où travaillait sa mère, ferma ses portes. Par l'entremise de son ancienne « Première », elle obtint un emploi d'ouvreuse à l'Opéra. Elle sut vite se faire des amies dans l'atelier des costumes. On lui abandonna des chutes de tissu, on la laissa compulser des albums de croquis. Dessinant, coupant, bâtissant, piquant, cousant, elle entreprit de confectionner, aux mesures des jumelles, les costumes des principaux rôles féminins des ballets du répertoire. Petit à petit s'élaborait une collection dont la perfection aurait dû lui valoir d'être acquise par un musée de la danse.

Le dimanche matin, la fille aidait la mère à essayer robes, tuniques et tutus, et l'après-midi, si le temps était beau, elles allaient promener les jumelles dans leur landau autour du bassin du Luxembourg.

Le soir, Flora rentrait de l'École de danse après le départ de sa mère pour le Palais Garnier. Elle trouvait son dîner préparé à la cuisine.

Elle s'installait en face d'« Odette » et d'« Odile », dressait leur couvert, leur racontait sa journée, ses histoires de gamine : brouilles avec d'autres « petits rats », émois des réconciliations, protestations d'éternelles amitiés, injustices de l'institutrice, observations du professeur pendant le travail à la barre, folles cavalcades dans les dédales de l'immense édifice, inquiétantes descentes à la « Grange Batelière ».

Elle les couchait dans leurs berceaux, les bordait amoureusement, leur chantonnait un adage pour les endormir.

Le soir de ses treize ans, le propos qu'elle tenait aux jumelles s'interrompt au milieu d'un mot. Elle se trouve stupide de converser avec des bustes de celluloïd et des visages de porcelaine encadrés de fausses chevelures. Elle ramassa pêle-mêle poupées, vêtements, berceaux, les fourra, sens dessus dessous, dans le bas de l'armoire de l'antichambre, laissant échapper d'une boîte de carton une collection de plats et d'assiettes miniatures qui se brisèrent sur le parquet. En rentrant, sa mère s'inquiéta de ce chambardement et la tança vertement. D'un ton peu amène, l'adolescente lui répondit qu'elle était trop grande pour prendre au sérieux des enfantillages. Elle détestait ce bazar qu'elle comptait jeter à la poubelle.

Aujourd'hui, Flora se repent de sa méchanceté. Elle n'avait pas songé au chagrin qu'elle allait causer à sa mère. Pour cette femme, un monde s'était effondré : son intimité avec sa fille, sa volonté d'entretenir et de perfectionner son talent de couturière et, peut-être aussi, la rupture de l'ultime lien qui la rattachait à George O'Brian. En soupirant, elle confectionna trois colis, pria le concierge de les placer dans le landau et de déposer le tout au bureau de bienfaisance de la mairie du VIe arrondissement. La semaine suivante, elle porta sa machine à coudre au mont-de-piété.

Au pied de sa tombe, Flora se désole. À qui, à quoi, était due sa brusquerie ? Commençait-elle à douter de sa vocation de danseuse ? Elle regrette son attitude.

La vie continue. Il lui faut s'apprivoiser à l'idée de son prochain mariage. Elle en rêve, mais parfois l'avenir lui semble embué d'une obscurité blanchâtre, semblable à celle dont un banc de brume avait enveloppé le cotre noir lors d'un retour au port. Les garçons l'avaient obligée à souffler, toutes les deux minutes, dans une énorme corne de vache, tandis qu'ils menaient, pour la taquiner, un affreux charivari en tapant à tour de bras sur de vieilles casseroles au moment où elle portait l'instrument à sa bouche. Joseph n'était pas le moins excité du trio, ce jour-là.

Elle chérit ce fiancé blond-roux dont elle ne soupçonnait pas l'existence deux mois auparavant. Elle se découvre passionnée, romantique, sentimentale.

Elle sait qu'elle ne recevra aucune lettre avant son retour à Camaret. Sur les côtes de Mauritanie, les levées postales sont incertaines.

Des velléités de revenir en Bretagne l'effleurent. Un respect humain ridicule la retient. Et puis, la rédaction de sa thèse va bon train et la région lui plaît. Elle prolonge son séjour à l'auberge. Le matin, avant de se mettre au travail, elle va se promener en forêt. Une ou deux fois par semaine elle retourne au cimetière d'Hauteville.

Le désir de connaître son père la poursuit ; elle est prête à se rendre aux États-Unis pour le rencontrer. Elle a écrit en ce sens à Maître Alain Ducros. La réponse ne s'est pas fait attendre. George O'Brian n'est pas en état de recevoir sa fille. Il se meurt d'un cancer du foie dans un hôpital de Providence. Il l'a instituée sa légataire universelle. Il vient de lui faire ouvrir un compte dans une banque de Lausanne (elle devra, à ce sujet, signer et renvoyer par retour du courrier, les pièces jointes concernant cette opération), sur lequel il va transférer la totalité des valeurs mobilières qu'il possède en Suisse. Alain Ducros étudie la manière dont les revenus de ce capital pourront être, en toute légalité, virés en France. La double nationalité de Flora facilitera la procédure.

Dix jours plus tard, une seconde lettre lui apprenait le décès de George O'Brian. Pourquoi sa mère ne lui avait-elle jamais parlé de son père avant de mourir ? Peut-être aurait-elle pu le convaincre d'accepter de rencontrer sa fille ?

La déclaration de guerre franco-anglaise du 3 septembre 1939 à l'Allemagne, dont les troupes avaient envahi la Pologne l'avant-veille, surprit Flora dans le Jura.

Alain Ducros lui téléphone. Il n'entend prendre aucune décision sans son avis. Il lui conseille vivement de ne pas toucher à ses avoirs à Lausanne et de laisser les revenus de ses valeurs se cumuler en intérêts composés. On aviserait plus tard. Elle lui laisse carte blanche.

Elle traînaille deux jours dans son auberge, hésite à rentrer à Paris, se décide enfin. Rue Saint-Sulpice, un mot de Joseph, posté quarante-huit heures auparavant, l'attend. Il lui demande de venir d'urgence à Brest. Il a déposé au poste de garde de la porte Tourville, à l'Arsenal, une carte pour lui indiquer comment le joindre. Il est embarqué sur le contre-torpilleur « *Bison* », Jean-François est mobilisé à Toulon, Yves est timonier sur le vieux cuirassé « *Bretagne* ».

Flora prit, le soir même, le train de Brest. À la porte Tourville, on lui remet un message de Joseph. Elle ne pourra le voir. Son bateau a appareillé la veille au soir pour une destination inconnue. Désespérée, elle revient à Paris. Au milieu du mois, elle s'installera dans son appartement d'Amiens.

La rentrée des classes lui changea les idées. Ses jeunes élèves lui parurent sympathiques. Elles acceptèrent de bon gré ses méthodes pédagogiques et se plièrent sans difficulté à la discipline qu'elle sut d'emblée leur imposer.

Les lettres de Joseph lui parvenaient par paquets de cinq ou six. Il ne s'était pas montré surpris que sa carte de Brest n'ait pas pu l'atteindre en temps voulu. Ses camarades avaient subi de semblables mésaventures.

Joseph ne recevait qu'irrégulièrement ses réponses, elles étaient son réconfort et sa joie.

Ils patrouillaient sans répit, ne touchant terre que pour se ravitailler en mazout, en eau et en vivres. Il se portait bien. Elle ne devrait surtout pas s'inquiéter. Il courait beaucoup moins de risques sur un bateau rapide comme le sien que dans une unité d'infanterie. Leur mariage pourrait être célébré en juin. Le contre-torpilleur doit aller caréner à Lorient. Il compte alors bénéficier d'une substantielle permission.

Fin avril 1940, le « *Bison* » prit part aux opérations de Norvège.

VI

Le soir de l'enterrement de Rose, en rentrant de dîner chez les parents d'Yves, Flora trouva le rez-de-chaussée de sa logeuse encombré par les ballots, les sacs et les valises d'un groupe de réfugiés de la région de Bayeux. Ils avaient réussi, on ne sait trop comment, à s'intercaler entre deux colonnes allemandes.

Au premier étage, assourdie par un concert d'exigences contradictoires et de récriminations, la logeuse s'égosillait sans arriver à répartir convenablement les membres de cette cohue dans les locaux de sa maison.

Deux jeunes moniales bénédictines séparées des religieuses de leur abbaye par les péripéties de l'exode, s'étaient jointes à eux en cours de route. Leur présence ne simplifiait pas les choses. Elles refusaient obstinément de se séparer et les autres personnes affichaient une évidente réticence à l'idée de les prendre avec elles.

La situation paraissait sans issue. Flora la débloqua en proposant de partager sa chambre avec les nonnes.

Elle n'avait jamais vu autant de bonnes sœurs de sa vie. Certaines de leurs manies l'agaçaient, mais cela ne l'empêcha pas de s'entendre fort bien avec elles.

Elle admirait la manière dont elles surmontaient les difficultés de l'heure. Jetées brutalement dans le bruit, privées de l'appui de leur communauté, elles auraient pu être déboussolées. Il n'en fut rien. Se mettant en prières aux aurores, allant entendre le matin la messe à l'église du bourg, s'imposant à heures fixes une bonne dose de travaux manuels (vaisselle, balayage, lessivage), elles avaient réussi à sauvegarder l'essentiel de leur règle.

Pour le reste, elles firent la part du feu, considérant leurs tribulations comme un simple entracte dans leur vie conventuelle. Avant de s'endormir, elles entamaient avec Flora de longues conversations roulant sur les sujets les plus divers. Leur exégèse des écrits de saint-Benoît l'aida à mieux comprendre le caractère de Max Jacob.

Lasses de leur journée, les moniales se fourraient au lit les premières. Toujours curieuse du tissu et de la coupe d'un vêtement, Flora leur demanda un soir la permission d'examiner leur habit.

Quelque peu interloquées, elles acquiescèrent. L'aînée l'engagea même à passer sa robe et lui montra comment s'ajustait le plastron et se coiffait le voile. La nuit s'emplit de fous rires de petites pensionnaires.

Une fois vêtue, Flora improvisa le rôle d'une novice convoquée un soir par une prieure en veine de réprimande.

Elle mima démarches, attitudes, révérences. Les moniales la corrigent, l'incitant ici à contenir l'amplitude de certains gestes, à donner là plus d'envergure à d'autres. Elles lui enseignent la manière d'incliner la tête, de joindre les mains, de croiser les avant-bras dans la largeur des manches.

La pantomime achevée, les jeunes bénédictines s'inquiètent des égratignures infligées au respect dû à leur costume mais se consolent en déclarant à Flora qu'elle peut désormais se considérer comme une religieuse accomplie. Ainsi naissent parfois les vocations.

Flora n'avait pas la moindre envie de prendre le voile. L'idée lui était cependant venue, cette nuit-là, de se lancer dans une étude de l'évolution des vêtements conventuels féminins du XVIe au XXe siècle.

À vrai dire, elle en avait reçu le premier germe lorsqu'une dizaine de jours auparavant, elle s'était rendue à Crozon sur une bicyclette d'emprunt pour aller voir la jeune novice qu'elle avait conduite avec sa supérieure de Locronan à la maison de retraite.

L'éclopée était guérie. La Mère supérieure vint remercier Flora de son obligeance. Cette femme énergique nourrissait une aversion instinctive à l'égard des envahisseurs. Elle répondit aimablement aux nombreuses questions que « l'agrégée de l'Université » lui posa sur l'histoire de sa congrégation et la symbolique de sa vêture et l'invita à venir la voir dans le Pas-de-Calais une fois la paix rétablie.

Les sœurs réfugiées à Crozon n'étaient pas les seules à être venues s'échouer dans la presqu'île. D'autres communautés avaient suivi leur exemple. Flora entreprit d'en faire la tournée pour recueillir le plus de détails possible sur les particularités des costumes de leur ordre ou de leur congrégation. Abbesses ou supérieures la reçurent avec gentillesse, touchées sans doute par l'intérêt qu'elle portait à leurs maisons, heureuses, peut-être aussi, de pouvoir narrer les incidents de leur exode.

Flora pourrait souvent revenir les voir ; elle serait également la bienvenue si, d'aventure, ses pas la conduisaient, un jour ou l'autre, dans les régions où s'étaient implantés leurs couvents.

Aucune d'elles ne lui avait dissimulé les sentiments de crainte que les armées allemandes leur inspiraient.

VII

Au lendemain de l'armistice, la vie s'arrêta. Un climat de stupeur et d'humiliation, d'inquiétude et d'impatience imprégna Camaret.

Seule note distrayante dans la morosité des temps : les laborieux exercices de débarquement auxquels se livrent les fantassins allemands sur les plages avoisinant le port. On grimpe sur la falaise pour savourer le spectacle. Voir chavirer, « travers à la lame », les canots réquisitionnés, suscite d'intenses jubilations.

Le 4 juillet, la radio annonce qu'aux premières heures du jour, les Anglais ont pris d'assaut les bâtiments de guerre français réfugiés à Portsmouth et à Plymouth, et qu'au début de l'après-midi, une escadre de la Royal Navy, a ouvert le feu sur la flotte désarmée à Mers el-Kébir. Les pertes sont lourdes. Le lendemain, on apprend que les avions torpilleurs britanniques sont revenus à la charge et ont coulé un chaland bondé de rescapés de la veille. Les morts se comptent par centaines.

Le 9 juillet, le maire frappe à la porte des parents d'Yves. Il vient de recevoir la notification officielle du décès de leur fils, tué sur la passerelle de la « *Bretagne* ». Flora court à la maison du port. L'oncle et la tante de Joseph affrontent leur deuil avec dignité. Ils n'ont plus que deux enfants, murmurent-ils : Jean-François et elle.

Un service fut célébré, peu après, pour le repos de l'âme d'Yves. Dans son homélie, le recteur associa le souvenir de Joseph à celui de son cousin. La tête couverte d'un châle noir, Flora était au premier rang de l'assistance.

Parents, alliés, amis, étaient venus en grand nombre, parfois de fort loin. On avait improvisé un déjeuner pour traiter, selon la coutume, ceux qui étaient à plusieurs lieues de chez eux. Parmi les convives, un homme de belle carrure, le cheveu tirant sur le roux, ne cessait de dévisager Flora. Le repas fini, il vint vers elle, se nomma : Paul Abgrall. Il lui parla de Joseph. Il avait appris leurs fiançailles. Il devait rester quelques jours encore à Camaret, pour achever de régler une affaire avec le père d'Yves.

Les conversations allaient bon train. Le coup de sang de Churchill troublait les esprits. On ne trouvait pas les Allemands moins odieux, mais l'on jugeait sévèrement le geste abominable des Anglais.

Les prisonniers ne tarderaient pas à revenir, on pourrait alors se remettre au travail. Le seul parti raisonnable est d'attendre.

Flora estimait, elle aussi, que le crime de Mers el-Kébir ne méritait aucune indulgence, mais les occupants étaient bel et bien les Allemands. Le meurtre de Rose illustrait ce dont ils pouvaient se rendre coupables. Les Britanniques demeuraient seuls en lice, la logique la plus élémentaire exigeait de les aider.

La logique et l'intérêt, renchérissait Abgrall. Un jour, l'Amérique entrera dans le conflit, et sa puissance industrielle, il savait de quoi il en retournait, ferait pencher la balance du bon côté. Les Français auraient alors bonne mine s'ils ne reprenaient pas les armes à temps.

Flora et Paul Abgrall se rencontrèrent à plusieurs reprises. Il lui parla longuement de la mère de son fiancé. Il s'était épris d'elle lors de son apprentissage de charpentier de marine aux chantiers de Camaret et lui avait demandé sa main. Elle lui avait préféré un marin du commerce.

Il fit la guerre de 14-18 dans le génie. En 1919, sa prime de démobilisation lui permit de gagner les États-Unis. Son habileté manuelle et sa force physique l'aidèrent à trouver des emplois lucratifs. En moins de dix ans, il réussit à se constituer un fort joli magot.

À son retour, au début de 1929, s'établissant à son compte, il créa à Locquirec un chantier de construction de barques de pêche et de bateaux de plaisance. Ses yachts s'étaient fait une réputation enviée de fini, de rapidité à la voile et de bonne tenue dans le gros temps ; plusieurs d'entre eux avaient brillé dans des régates prestigieuses. Son entreprise prospéra et il put prêter une somme appréciable au père d'Yves et de Jean-François lors de la commande de son nouveau langoustier.

Abgrall est persuadé que les populations ressentiront vite le caractère insupportable de l'occupation nazie. Nombre de jeunes gens tenteront de passer en Angleterre pour aller se battre. Il se propose de conduire à la voile jusqu'aux îles Scilly tous les garçons qu'on lui amènera. Les conditions de vent et de courant sont souvent propices à des traversées rondement menées.

Des cultivateurs de ses amis ont accepté d'héberger les candidats au passage et de les guider discrètement, le moment venu, jusqu'au lieu de l'embarquement. Il a pleinement conscience de la dimension artisanale de son dessein, mais il prétend, proverbes à l'appui, que l'on n'a rien lorsque l'on ne risque rien, et que les petits ruisseaux font les grandes rivières.

Flora rumine une variante plus ambitieuse.

Elle a deviné le prix que les Allemands attachent à la capture des aviateurs britanniques « descendus » en France. Les menaces affichées à la Kommandantur à l'encontre des personnes qui les abriteraient et l'importance des primes offertes, sous le manteau, à d'éventuels dénonciateurs la confirment dans le bien-fondé de ses opinions. En aidant ces pilotes, dont la formation avait été longue et onéreuse, à réintégrer leurs escadrilles, on contribuerait, d'une manière modeste, mais à coup sûr efficace, aux succès futurs.

Elle compte tirer parti de ses visites aux communautés religieuses repliées dans la presqu'île. Lorsqu'elles auront regagné leurs couvents ou leurs monastères, elle ira reprendre contact avec les supérieures et les prieures qui lui avaient manifesté de la sympathie. Elle leur demandera de les mettre en relations avec des personnes susceptibles d'organiser une filière d'évasion.

Elle entrevoit le scénario. Il s'agit, dès la chute d'un appareil anglais, de partir à la recherche des survivants en devançant les patrouilles allemandes. S'enchaînent ensuite les soucis de cacher les rescapés, de soigner leurs blessures, de les vêtir, puis de les mener de refuge en refuge, jusqu'aux points de la côte d'où il serait possible de leur faire traverser la Manche. La préparation de cette ultime étape présentait, sans conteste, les plus sérieuses difficultés. Comme par enchantement, Abgrall lui en offrait la solution sur un plateau d'argent. Il s'engageait à donner la priorité au passage des aviateurs qu'elle aurait réussi à convoyer jusqu'aux fermes dont il lui avait parlé.

Flora persuada Paul Abgrall de l'emmener à Locquirec, pour qu'elle puisse se pénétrer de la topographie des lieux. Il accepta et l'installa d'autorité chez lui. Une vieille femme lui tenait lieu de gouvernante. Les apparences seraient sauves et, plaisanta-t-il, plus on jaserait, mieux cela vaudrait. Sa présence s'expliquerait naturellement et l'on ne s'étonnerait pas de la voir réapparaître.

Paul Abgrall s'ingéniait à donner le change aux Allemands. Après le massacre de Mers el-Kébir, il s'était répandu en imprécations contre l'Angleterre. Il avait monté en épingle la mort d'Yves et le déplacement qu'il allait faire en carriole pour assister au service religieux célébré à Camaret. Estimant que les douaniers germaniques installés à Locquirec formeraient l'élément permanent de la surveillance de la côte, il leur faisait porter régulièrement, avec ses compliments, des homards et du poisson frais. Il avait pu, ainsi, obtenir l'autorisation de continuer à sortir seul son voilier pour aller poser et relever ses casiers. Il avait fermement recommandé à son contremaître et à ses compagnons de ne plus parler que breton dès qu'un Allemand serait en vue.

Au lendemain de l'armistice, un rittmeister, vainqueur des régates de Kiel de 1938, vint lui demander de visiter son chantier. Il le reçut courtoisement, le promena partout, lui ouvrit tout grand les atlas des plans de ses meilleurs bateaux, émaillant ses explications de plaisanteries bretonnes destinées à rassurer son personnel sur la réalité de ses sentiments. Intrigué par les rires sonores de l'atelier, l'officier lui demanda de lui traduire ses propos. C'était tout simple, lui répondit Paul Abgrall, sans se démonter. Il avait déclaré à ses charpentiers que, fin barreur, un capitaine de cavalerie allemand lui en avait remontré sur la manière de gréer un voilier. Il tirerait le plus grand profit de la pertinence de ses observations. Avant de reconduire le rittmeister à sa voiture, Abgrall lui fit admirer les deux postiers bretons de son écurie.

Superbe attelage, reconnut l'Allemand.

Le chantier de Locquirec possédait une coopérative. Abgrall emmena plusieurs fois Flora faire le tour des fermes où s'approvisionnait son magasin. Deux d'entre elles, l'une à Saint-Jean-du-Doigt, l'autre à Lanmeur, devaient abriter les garçons désireux de partir en Angleterre. Ce premier contact avec les fermiers permit de s'entendre sur des signes de reconnaissance faciles à retenir. Une torsade de genêts accrochée à telle barrière signalerait un danger imminent. Ils lui montrèrent les halliers où pourraient se dissimuler les fugitifs, et lui firent parcourir les cheminements que leur convoyeur emprunterait pour aller prévenir les cultivateurs de l'arrivée des aviateurs. Enfin, pour les transporter à proximité des points d'embarquement, on les allongerait sur le plancher d'une charrette, en les protégeant sous un demi-cylindre de tôle ondulée du chargement de goëmon, de foin, de choux-fleurs ou d'oignons, de pommes de terre ou d'artichaux, dont la nature correspondrait à la saison.

Il faudra aussi, conclurent les fermiers, faire tenir leur langue aux femmes

VIII

Paul Abgrall reçut à déjeuner l'un de ses clients. La désolante insignifiance de l'invité déconcerta Flora. Terne, incolore, il suait l'ennui. Commissaire de la marine en retraite, il gérait un portefeuille d'assurances à Morlaix. Tout en servant le calvados, Abgrall pria la fiancée de Joseph d'exposer son projet. Elle pouvait s'exprimer en toute confiance. Elle ne fut pas longue à s'apercevoir que l'olibrius ne lui prêtait guère attention.

Déçue, sinon vexée, elle reprit avec plus de chaleur les grandes lignes de son plan, insistant sur sa chance d'avoir découvert une chaîne de communautés religieuses reliant la Flandre à la Normandie, dont les hasards de l'exode avaient empilé les maillons aux alentours de Crozon.

L'assureur s'en alla sans avoir témoigné le moindre intérêt à sa démonstration.

Démoralisée, Flora s'interrogea. Ce que son imagination lui a fait concevoir lui semble maintenant illusoire. Elle mesure les distances qu'auraient à franchir les rescapés. À travers champs, cela leur demanderait des semaines et des semaines. Fourrer dans un autobus ou dans un train des gens ne connaissant pas dix mots de français leur ferait courir des risques injustifiables.

Elle se pose de multiples questions sur les moyens pratiques de devancer les patrouilles ennemies ou la gendarmerie française dans la recherche des avions alliés abattus. Plus elle remâche les données du problème, plus évidente lui apparaît l'inanité de ses élucubrations. Peut-être parviendrait-elle à sauver trois ou quatre pilotes ; chiffres dérisoires ! Abgrall n'a pas grand mérite à réserver une priorité à ses aviateurs. En son for intérieur, il doit penser qu'ils n'arriveront qu'au compte-gouttes.

Cahin-caha, les relations ferroviaires reprennent. Les autorités pressent les réfugiés de rentrer chez eux. Flora s'est résolue à regagner la rue Saint-Sulpice. Elle reprendra ses travaux littéraires et sollicitera un poste dans un lycée parisien, sans plus songer à poursuivre ses chimères.

La veille de son départ, l'assureur morlaisien reparut à Locquirec. Les projets de la jeune femme l'ont séduit. Il vient mettre au point avec elle les moyens de les concrétiser. Il est accompagné d'un bonhomme dont l'air papelard conviendrait à merveille à un emploi de bedeau de cinéma. Flora comprend, dans l'instant, qu'elle a en face d'elle des professionnels et que le client de Paul occupe une fonction clé dans les services de renseignements.

Il lui apporte l'essentiel. En premier lieu, l'adresse d'un colonel de gendarmerie à Meudon. Toute affaire cessante, elle doit aller le voir, il l'attend. Il délimitera les zones de recueil des pilotes alliés et réglera les modalités d'une contribution officieuse des gendarmeries locales à leur recherche et à leur acheminement vers les couvents refuges. Dans les deux mois à venir, il mettra en place, en cinq points de la filière, des camionnettes à gazogène empruntées à l'administration des Eaux et Forêts. Destinées, en principe, à faciliter l'approvisionnement en denrées alimentaires et en bois de chauffage des communautés religieuses à vocation charitable, elles serviront en fait à transférer les rescapés, d'un relais au suivant.

L'homme venu avec lui, Alphonse Madec, un ancien premier-maître mécanicien de l'aéronavale, conduira les gazogènes.

Fausses plaques d'immatriculation, fausses cartes grises, faux permis de conduire, fausses pièces d'identité, le retraité du commissariat de la marine se chargeait de tout.

Il donnait six semaines à Flora, pour reprendre contact avec les mères supérieures rencontrées à Crozon et convenir avec elles des conditions d'hébergement des aviateurs. Il lui faudra choisir, de préférence, des couvents situés en pleine campagne, et composer des itinéraires empruntant, autant que possible, des routes secondaires et des chemins vicinaux. Elle accompagnera, de bout en bout, les Britanniques. On contrevient là à une règle de sécurité, imposant de découper en plusieurs tronçons indépendants l'ensemble d'une filière, mais le fait de n'avoir affaire qu'à une seule convoyeuse, possédant parfaitement leur langue, lui paraît de nature à donner confiance aux fugitifs et à leur faire accepter une autorité qui les retiendra de commettre des imprudences mortelles. Il va sans dire que, sur les routes, elle devra se déguiser en sœur converse.

L'assureur, Abgrall, Madec et Flora convinrent de se retrouver à Locquirec le 20 septembre.

À Meudon, le colonel de gendarmerie insiste, à son tour, sur l'importance d'une rapide reprise de contact avec les communautés religieuses. Il attire l'attention de Flora sur l'impérieuse nécessité de définir, sans la moindre ambiguïté, la manière dont les équipes de recueil mises sur pied par la gendarmerie pourront, de jour comme de nuit, avertir les religieuses de l'imminente arrivée des Anglais, et de régler minutieusement la façon de les faire pénétrer dans l'enceinte des couvents.

Une question le tracasse : le franchissement de la Seine. C'est sans doute à Paris qu'il sera le plus facile. Il préconise d'établir deux relais dans la capitale, l'un rive droite, l'autre rive gauche.

Flora commença ses visites par les sœurs qu'elle avait rencontrées à Locronan. Leur supérieure s'enthousiasma et s'entremit auprès d'autres congrégations pour qu'elles adhèrent au projet. Dans le Nord, en Picardie, en Île-de-France, un accueil généralement compréhensif fut suivi de plusieurs engagement formels.

En revanche, elle fut déçue par la réticence de la prieure du monastère normand dont relevaient les deux moniales réfugiées à Camaret. La Mère lui fit valoir, non sans raison, que située comme elle l'était, au cœur d'une petite ville, son abbaye se prêterait mal au rôle que Flora songeait à lui faire jouer. Les allées et venues d'un véhicule inconnu ne tarderaient pas à intriguer le voisinage, au grand dam de la sécurité que les aviateurs en transit étaient en droit d'attendre. Mais elle lui rendit un inestimable service en lui communiquant l'adresse d'une congrégation charitable de l'Eure, dont la supérieure générale ne manquerait pas d'entrer dans ses vues.

Flora fut subjuguée par la personnalité de cette femme. Elle l'avait reçue brièvement, dans la pénombre de son bureau. En quelques minutes, elle avait compris ce dont il s'agissait. Dans l'instant, elle l'assurait de la coopération la plus totale des dix-neuf communautés dont elle avait la charge. Elle allait leur donner les instructions nécessaires. En la raccompagnant à la porterie, elle l'autorisa à emprunter l'habit noir de ses filles dans toutes les circonstances où ce costume pourrait faciliter son entreprise.

L'obligation de se déguiser posait à Flora des problèmes analogues à ceux de Fregoli*. Au cours d'un transfert, elle devait successivement revêtir, s'ils étaient différents, le costume de la communauté qu'elle venait de quitter, et celui du couvent où elle se rendait. Pour éviter d'avoir à se changer à mi-chemin, elle n'avait retenu que les maisons relevant d'ordres ou de congrégations dont les religieuses s'habillaient en noir. Il lui suffisait de substituer les uns aux autres quelques accessoires : voile, cornette, collerette, plastron, ceinture, pour donner le change.

Elle ne peut se dispenser de faire de temps en temps une halte à Paris. Elle ne peut laisser son appartement inoccupé trop longtemps, ni son courrier s'entasser, ni ses quittances rester en suspens. Il est d'autre part impensable qu'elle débarque en nonne rue Saint-Sulpice et qu'elle range ses déguisements dans sa penderie. Sa concierge vient une fois par semaine faire le ménage. Flora se méfie tout autant de sa curiosité que de son intempérance verbale.

Elle se rappelle l'existence de Monsieur Raymond, cet employé du magasin des costumes, du temps où, avec ses camarades du Conservatoire, elle jouait les figurantes au Châtelet. Contrefait, boiteux, un mégot jaune perpétuellement collé au bord de sa lèvre inférieure, ce petit homme n'avait pas son pareil pour piéger les demoiselles au coin d'un couloir ou dans le redan d'un décor, et prendre d'une main experte le moulage de leur croupe et le galbe de leur poitrine. Les filles l'avaient surnommé « - Presto-Fesse ». Elles le fuyaient comme la peste, en l'accablant de quolibets.

Un beau soir, Flora fut coincée à son tour. Prise d'une pitié inhabituelle, au lieu de s'esquiver et de se moquer de lui, elle prit les deux mains du nabot, le tança gentiment et l'embrassa sur les deux joues. Elle le pria, un peu plus tard, de lui faire visiter son magasin et de lui en montrer les collections. Il lui donna mille détails sur les costumes d'une opérette à grand spectacle. Ils devinrent bons amis.

En septembre 1940, Monsieur Raymond occupe toujours le même poste. Il reconnaît Flora. Ils évoquent des souvenirs. Il déteste les nazis. Elle lui demande l'autorisation d'entreposer dans un coin de son magasin un lot de défroques de bonnes sœurs, legs d'un oncle un peu

* Leopoldo Fregoli (1867-1936) était un acteur italien qui interprétait ses propres pièces, sortes de mini-comédies dans lesquelles il tenait tous les rôles avec un don extraordinaire de la transformation.

loufoque. Elle ajoute, en rougissant, qu'on la sollicite parfois, à Paris et en province, pour participer à des saynètes où elle doit se produire en religieuse. Lui serait-il possible de venir rechercher et de remettre ensuite, tout ou partie de ces frusques dans son service ? « Presto-Fesse » ne lui pose aucune question, lui précise les heures où elle sera sûre de le trouver et lui indique la manière d'accéder discrètement à son local.

IX

Le 20 septembre 1940, Flora est de retour à Locquirec. Elle retrouve son équipe au complet et lui rend compte des résultats de sa tournée. On la trouve fatiguée. Elle admet que ses déplacements combinant des trajets en chemin de fer et de longs parcours à bicyclette n'étaient pas de tout repos. Avec la minutie d'un metteur en scène, elle est entrée dans les moindres détails. Elle a examiné les emplacements possibles de stationnement et de garage des gazogènes, les locaux où l'on dissimulerait les aviateurs. S'agissant de ceux-ci, la supérieure générale de l'Eure lui a vivement recommandé d'employer le vocable « d'orphelins » pour les désigner. Flora a reconnu les réduits où Madec pourrait se reposer et a étudié la manière dont on cuisinerait les repas des « orphelins ». Elle les servirait elle-même. Elle s'était également enquise des fermes et des marchés où elle se procurerait, sans éveiller de soupçons, les denrées et les produits destinés à constituer les chargements prétextes des camionnettes. Paul Abgrall débouche une bouteille de champagne : du Mumm, cordon rouge, le choix de Joseph à Morgat ! Flora supplie, du fond de son cœur, son fiancé de la protéger.

L'assureur clôt la séance, en serinant à la jeune convoyeuse ses ultimes objurgations. Des cachettes aménagées dans les bas-flancs des gazogènes contiennent les collections de faux papiers et les jeux de plaques d'immatriculation amovibles.

Flora devra veiller avec la plus scrupuleuse attention à ne jamais laisser traîner sur la planchette du tableau de bord des documents n'intéressant pas le tronçon du trajet en cours de parcours. Il lui faudra également prévenir les imprudences que les Anglais récupérés pourraient être tentés de commettre. Une fois calmées les émotions de leur chute et leurs craintes d'être capturés, les rescapés baigneraient, peut-être, dans une euphorie susceptible de leur faire négliger les précautions les plus élémentaires. Elle devra les empêcher de se montrer, au besoin en les bouclant dans leurs caches, et leur confisquer leurs cigarettes, non point tant pour écarter les risques d'incendie toujours à redouter dans les granges, que pour éviter de laisser flotter autour d'eux l'irréfutable odeur du tabac d'Outre-Manche.

Pis encore, revenus en Grande-Bretagne, les évadés brûleront de narrer à leurs camarades les détails de leur odyssée, et Dieu sait que les propos inconsidérés tenus dans les mess et les popotes sont le pain bénit des services de renseignements adverses. Il sera crucial de ne jamais prononcer devant les rescapés des noms de lieux et de personnes. Madec et Flora ne devront jamais être pour eux que « Brother Nobody » et « Nun Nobody ». Il serait bon que l'un ou l'autre leur fasse jurer sur la Bible, avant la traversée de la Manche, de ne jamais révéler à quiconque l'existence de la filière.

Le 10 octobre, de bon matin, Paul Abgrall attela le meilleur de ses deux postiers à sa carriole, pour conduire la convoyeuse et son chauffeur dans un couvent proche de Landivisiau. Le gazogène était abrité dans un hangar. C'est là que Flora « prit l'habit » dont la protection allait lui permettre de jouer un rôle où se mêleraient étroitement des épisodes dramatiques et des bouffonneries d'une irrésistible drôlerie.

Le jour même, Alphonse Madec et Flora quittèrent Landivisiau « à vide » (à une cargaison de pommes de terre près), pour accomplir le voyage Bretagne - Flandre et reconnaître, au passage, les étapes intermédiaires ménagées pour les fugitifs et les endroits où se situaient les relais de gazogènes.

Têtu comme une mule, finaud sous sa rondeur, vif dans sa lenteur, l'ancien premier-maître de l'aéronavale bavardait sans arrêt. Il lui conta ses deux accidents d'avion, lui décrivit les personnages célèbres de l'aviation maritime : Le Brix, l'un des coéquipiers du fameux Costes ; Teste, le premier pilote français qui apponta sur un porte-avions ; Guilbaud, disparu avec Amundsen à son bord, en allant porter secours à un dirigeable italien échoué sur la banquise arctique.

Il terrifia Flora avec des histoires de mécaniciens décapités par l'hélice qu'ils venaient de lancer à la volée.

En dépit de ses objections et de sa réticence, il lui fit conduire la camionnette. Il lui apprit à démonter les roues, à changer les bougies, à remettre en place la courroie du ventilateur, à recharger de charbon de bois l'imposant cylindre du gazogène.

David Gordon fut le premier « orphelin » de Flora. Coupe de la moustache, cordialité, volubilité, éclats de rire chevalins, raclements de la gorge, bégaiements sophistiqués, brusquerie dans la clôture d'un entretien, il était impossible d'être plus britannique que lui.

Mitraillé dans le dos par un chasseur allemand à la verticale d'Amiens, son empennage à moitié démoli, blessé aux deux jambes, il avait néanmoins réussi à poser sur le ventre son « Hurricane » dans un champ de betteraves. Le sol détrempé par la pluie freina la course de l'appareil, lui évitant de percuter les arbres d'une futaie toute proche. L'avion ne prit pas feu tout de suite. Il eut le temps de déboucler son harnais et de se laisser glisser à terre. Un tas de feuilles pourries amortit sa chute. Il se traîna sur les fesses le plus loin possible de l'épave. Elle explosa peu après.

Deux paysans l'ont aperçu. Ils l'assoient dans une brouette et le transportent sous un hangar entre plusieurs tas de betteraves. Ils l'abandonnent là en compagnie d'un chien. Le jour tombe. Il a froid. Ses jambes le font souffrir. Il ne voit rien venir. Il s'inquiète.

Trois heures plus tard, deux jeunes gens arrivent à bicyclette. Ils tirent une remorque, l'installent dans la caisse, pédalent pendant des kilomètres. Ils s'arrêtent enfin au pied d'une grande bâtisse. Un portillon s'ouvre. Ils s'emparent du blessé et le descendent dans une cave où plusieurs lits sont préparés. Flora est là. Elle aide les garçons à mettre l'Anglais sur une couche voisine de l'escalier. Elle lui donne à boire, dispose des boules d'eau chaude contre ses flancs. Les deux cyclistes sont repartis chercher un médecin. L'homme de l'art ne tarde point. Il a l'air d'un vieux fou. Il fend les bottes fourrées de Gordon. Elles sont pleines de sang. Il coupe haut les jambes de la combinaison de vol et du pantalon d'uniforme. Il nettoie les plaies à l'alcool, extirpe des chairs des morceaux de métal et de petits fragments d'os. Flora serre de toutes ses forces la main gauche du pilote.

Ce docteur accomplit alors une chose inimaginable. Le blessé se fâche. Flora est trop interloquée pour intervenir. Le praticien arrache au mur de la cave des plaques de moisissures et des toiles d'araignées pour en faire des emplâtres dont il entoure les mollets de l'aviateur.

Entêté comme un baudet, il prétend que l'on guérissait ainsi les soldats de Napoléon.

Le lendemain, le gazogène file vers le Nord. Il revient trois semaines après, avec un Gallois assis dans une alcôve ménagée dans un amoncellement de cageots de légumes. Gordon est sur pied, rongeant son frein dans la cave. Les blessures de ses jambes se sont incroyablement vite cicatrisées sans avoir jamais présenté la moindre trace d'infection.

Le Gallois s'est plaint de crampes insupportables. Madec repense le problème. Il allonge les deux « orphelins » sur un large matelas, il dispose à soixante centimètres au-dessus d'eux des planches posées sur des caissettes d'oignons. Il répand en vrac sur cet édifice des pommes et des pommes de terre et couronne le tout avec un assortiment de fagots, de bottes de carottes et de poireaux. L'aération de l'alvéole est assurée par une découpe dans la cloison qui la sépare des places avant. Madec a doté ses passagers de deux « pistolets » (ces urinoirs plats en usage dans les hôpitaux), qu'il a muni de gros bouchons de liège. Comble de précaution il s'est arrangé pour laisser bailler au vent les rabats de l'arceau de toile recouvrant le plateau, afin de donner l'impression que l'on ne se soucie nullement de dissimuler la composition de la cargaison.

Les gazogènes mis en place par les Eaux et Forêts permirent de gagner la ferme de Lanmeur en dix étapes. Flora tint à assister à l'embarquement des deux pilotes. Elle s'étend à leur côté sur le plancher de la charrette prévue pour les mener à un fouillis de genêts accoté à la banquette d'un champ proche du rivage. La nuit tombée, elle fera sortir les rescapés de ces buissons et les accompagnera jusqu'au canot qui, rappelé par un long filin, va les conduire à bord du cotre de Paul, mouillé dans un dédale de roches. Ils retrouvent là six Français en route pour Londres.

Les convoyages suivants se déroulèrent sans incidents notables. Celui du mois de mars 1941 aurait pu mal tourner sans l'esprit d'à-propos et le génie inventif d'une inénarrable sœur Léontine. À peine plus haute que large, balançant son embonpoint d'une jambe sur l'autre, ne crachant pas sur le vin rouge, dotée d'une voix forte, roulant des yeux terribles, brossant du revers de la main le plastron d'une blouse émaillée de taches indélébiles, mitonnant de savoureux cuirs, manifestant de vertueuses indignations feintes ou sincères, dévidant le fil de roueries pleines de cocasseries, elle laissait sourdre de sa personne un optimisme communicatif, une piété enthousiaste, une charité monumentale, une irrésistible autorité. Dès leur première rencontre, elle avait raconté sa vie à Flora.

Fille d'un mineur de fond du Pas-de-Calais, seconde d'une couvée de huit enfants, elle avait, en 1914, rejoint sa famille réfugiée à Tours.

À dix-neuf ans, elle s'était enrôlée dans la Croix-Rouge. Sa conduite au front lui avait valu cinq citations. Le texte de la dernière, assortie de l'octroi de la médaille militaire, soulignait son héroïsme.

Atteinte par un obus incendiaire, la grange où elle avait regroupé des blessés en attente d'évacuation s'était mise à flamber. La jeune infirmière s'était lancée dans la fumée pour aller chercher deux aveugles. Elle revint dans le fenil pour aider un béquillard à en sortir. Entrant pour la troisième fois dans le bâtiment, elle fut jetée à terre par la chute d'une poutrelle enflammée et cruellement brûlée.

Elle reçut sa médaille militaire des mains de Clemenceau. Les photographies de la prise d'armes, de la remise de décorations et du défilé final furent publiées dans un numéro de *L'Illustration*. Elle le montra à Flora avec une évidente fierté.

En août 1940, la sœur Léontine avait la responsabilité du pavillon des contagieux de l'hôpital d'une sous-préfecture angevine. Elle s'était mise spontanément à la disposition de Flora. Son pavillon, situé à l'écart des bâtiments principaux comprenait deux étages de chambres, une cuisine annexe, une lingerie, une étuve, une salle de soins, un bureau. La morgue est installée au rez-de-chaussée, en face d'une poterne percée dans le mur d'enceinte que longe une avenue peu fréquentée.

Chaque soir, deux heures avant le couvre-feu, la sœur laissera la clé de la morgue sur la porte, déverrouillera la poterne qu'elle coincera avec une latte de bois. Une simple poussée suffira pour l'ouvrir. Flora n'aura qu'à faire stopper son véhicule à cet endroit, l'arrière contre le mur. Ses passagers devront passer illico dans la morgue, tandis qu'elle montera sans précipitation l'escalier pour aller prévenir l'opulente nonne de l'arrivée des « orphelins ». Au premier moment favorable, on leur fera gagner les combles où on les cachera le temps nécessaire. On pouvait compter sur la discrétion du cuisinier et de la femme qui le secondait ainsi que sur celle du sourd-muet préposé à la morgue. Le chauffeur irait garer son gazogène dans l'ancienne écurie d'un hôtel particulier et coucherait dans le logement du cocher.

Le 6 mars, au début de l'après-midi, une fille de salle vint avertir le pavillon des contagieux que la Feld-Gendarmerie fouillait les greniers des grands bâtiments. Flora était là, depuis la veille au soir, avec un Écossais et un Canadien.

Sœur Léontine et elle firent dévaler les deux aviateurs jusqu'à la morgue. Le sourd-muet les aida à sortir deux cercueils neufs de la réserve et à les placer sur des tréteaux. Elles demandèrent aux deux fugitifs de bien vouloir les « essayer ». La sœur intercala des éclisses entre les bords des caisses et les couvercles avant de les visser. L'air pourrait ainsi pénétrer, tandis que les vis paraîtraient serrées à bloc.

Les deux femmes n'avaient plus le temps de transporter les matelas à la salle d'étuvage, ni de faire disparaître les reliefs du repas que les pilotes venaient de prendre.

Sœur Léontine fit comparaître le cuisinier et son aide et leur enjoignit de grimper à la soupente, de s'étendre sur les matelas et de faire semblant de prendre du bon temps. L'homme accusait une cinquantaine ingrate, flasque, bedonnante et chauve. La femme, à peine plus jeune, grande, noiraude, moustachue comme un mousquetaire, se récria :

— « Pour qui les prenait-on ? »

La grosse bonne sœur haussa le ton :

— « D'abord, je ne vous ai dit que de faire semblant ! Ensuite, si vous n'êtes pas là-haut dans les dix secondes, je préviens la madame de monsieur, et le monsieur de la madame, de ce que vous manigancez tous les deux depuis quelque temps ! »

« Si vous croyez que je ne m'aperçois pas de vos simagrées, c'est que vous me prenez pour une novice. »

« Et tâchez d'en donner aux frisés pour leur argent, s'ils vous surprennent ! »

« Et d'avoir l'air penauds et repentants si je dois vous admonester devant eux ! »

Les Allemands, un adjudant, un feldwebel et six gendarmes étaient déjà sur le palier. La sœur Léontine prit pour les accueillir l'attitude de la personne lourde du poids de ses responsabilités et pénétrée de l'importance de ses fonctions.

— « Monsieur l'Officier n'est pas muni de l'autorisation du médecin-chef d'entrer dans le pavillon des contagieux ! »

« Monsieur l'Officier s'en contre-fiche ? »

« Monsieur l'Officier, à vos risques et périls ! »

« Monsieur l'Officier et ses subordonnés voudront bien, néanmoins, revêtir les blouses blanches que voici, et protéger leurs voies respiratoires avec les tampons de gaze que voilà... »

« Mais seul, Monsieur l'Officier pourra, s'il en manifeste le désir, entrer dans les chambres des malades. Il est de mon devoir de prévenir Monsieur l'Officier que nous avons deux cas de méningite cérébrospinale. Je fais confiance à Monsieur l'Officier pour qu'il n'ébruite pas cette information tout à fait confidentielle. »

Elle promenait tout son monde, de pièce en pièce, en se perdant en interminables considérations thérapeutiques, lorsque l'on entendit une bouteille rouler sur le plancher du grenier.

L'adjudant sursauta. Il exigea qu'on lui montre l'accès aux combles.

— « Monsieur l'Officier ne devrait pas s'inquiéter. Il ne peut s'agir que d'un rat. Malgré la mise en place de toutes sortes de pièges et les épandages de graines empoisonnées auxquels nous procédons régulièrement, nous ne parvenons pas à nous débarasser de ces hôtes indésirables ! »

« Mais si Monsieur l'Officier veut inspecter les soupentes, rien n'est plus facile. Il n'a qu'à ouvrir la porte du fond du couloir et monter l'escalier à claire-voie sur lequel elle donne. Qu'il me permette cependant de lui recommander de ne pas se cogner le crâne contre la poutre surplombant le sommet de l'échelle ! »

En un clin d'œil, les gendarmes se sont dépouillés de leurs blouses. L'adjudant commande à l'un de ses hommes d'armer sa mitraillette, dégaine son revolver, allume sa torche électrique.

Trente secondes plus tard, des exclamations tonitruantes et des rugissements de rires se mêlent à des glapissements féminins. Le faisceau de la lampe de l'adjudant venait de se braquer sur les fesses roses d'un bonhomme en train de besogner laborieusement une femelle efflanquée. Les deux Allemands redescendent en poussant devant eux les amoureux engoncés dans les plis d'une couverture de laine brune.

Sœur Léontine fut sublime. Le registre d'une chef de service hautement consciente de la respectabilité de ses fonctions céda la place aux jérémiades de la dignité blessée, de la majesté offensée, de la vertu bafouée, de l'autorité humiliée. Qu'allait penser « Monsieur l'Officier » de la tenue de l'hôpital et de la moralité des habitants de la ville ?

Mais lorsque le Feld-Gendarme brandit les flacons vides ramassés dans le grenier, la comédie de l'indignation de la nonne se métamorphosa en un réel courroux : on se permettait de boire le vin des convalescents ! Elle doit, toute affaire cessante, inventorier le placard où sont rangées les bouteilles. Elle fait et refait le compte du contenu des casiers, s'embrouille. Elle choisit un bourgogne d'un bon millésime, invite l'adjudant à le goûter :

— « Cuvée modeste, mais fortifiant reconnu ! », confie-t-elle à « Monsieur l'Officier », en lui en versant une large rasade. Pour reprendre ses esprits, elle en ingurgite elle-même trois verres coup sur coup.

Elle insiste pour que la Feld-Gendarmerie poursuive la visite du pavillon. Le feldwebel refait rapidement le parcours en sens inverse, ne jetant qu'un regard distrait sur la morgue dont le sourd-muet lavait le carrelage à grand renfort de volées de seaux d'eau.

Flora passa la nuit en compagnie de l'Écossais Bob Walcker et du Canadien Larry Johnson. Elle avait subtilisé, dans les réserves de la brave sœur, une bouteille de vieux cognac pour réchauffer ses « orphelins ». Elle ne se priva pas d'en siroter un ou deux verres. On gelait dans l'atmosphère doucereuse du sinistre local. À la moindre alerte, les deux aviateurs se recoucheraient dans leurs bières et elle en revisserait les couvercles.

Si on la surprenait, elle ferait semblant de prier pour les défunts.

Malveillance ou bavardages, les Allemands ont, peut-être, eu vent de quelque chose. Ils peuvent revenir fouiller l'hôpital et ne doivent pas se priver d'en surveiller les abords.

Flora recourut à l'assistance de l'entrepreneur des pompes funèbres de la ville. Elle risquait d'être éconduite, voire dénoncée. Elle joua cartes sur table, mettant en avant les raisons profondes de son activité, évoquant la mort de Joseph en Norvège et l'assassinat de Rose à Camaret. L'homme n'hésita pas. Il ira prendre les deux cercueils à l'hôpital à l'heure du déjeuner. Il conduira lui-même son fourgon. Il aura besoin de l'aide du sourd-muet pour charger. Il garera dans son entrepôt. La nuit venue, il délivrera les faux cadavres. Il les hébergera à son domicile. Il vit seul avec sa mère, une veuve de la guerre de 14. Elle ne soufflera mot.

On laissera passer trois semaines avant que la convoyeuse ne revienne chercher ses passagers. Il lui conseillait, toutefois, de rayer le pavillon des contagieux de la liste de ses relais.

X

Les convoyages se succédaient. Le total des évasions s'étoffait. En mai 1942, il comptait trente-neuf réussites.

Fortes personnalités ou figures plus ternes, les rescapés des combats aériens s'étaient toujours montrés reconnaissants. Ils ne savaient comment remercier « Brother Nobody » pour les soins dont il les entourait. Ils félicitaient « Nun Nobody » de la qualité de son anglais et s'extasiaient sur le sang-froid dont elle ne cessait de faire preuve.

Flora ne connut qu'une seule exception en la personne d'un commodore de la marine. Passager d'un avion de la Fleet Air Arm abattu au sud de Montreuil, il devait la vie à son parachute. Son pilote avait été tué net par la rafale de balles tirée par le chasseur allemand.

Il s'était vite rendu odieux, se plaignant du goût de la nourriture et de l'inconfort du couchage, allumant Player's sur Player's sous le nez de Flora qui lui avait demandé de s'abstenir de fumer. Elle avait dû le rabrouer vertement.

Une nuit, dormant à poings fermés, dans le grenier à foin d'une ferme proche d'un monastère, elle fut réveillée en sursaut par le poids d'un corps qui se couchait sur elle. Le commodore ne faisait pas mystère de ses intentions : la pensée de faire l'amour avec une nonne l'excitait tout particulièrement.

Elle est plus souple que lui, il est plus fort qu'elle. Ils bataillent en silence pendant dix bonnes minutes au bout desquelles elle réussit à lui échapper. Il la rattrape, la renverse dans la paille, emprisonne ses poignets dans sa main, appuie son avant-bras sur son cou pour l'étouffer. Elle halète, ses forces l'abandonnent. La lumière de la lune pénétrant par la découpe du pignon lui laisse entrevoir la bave qui s'écoule du rictus de son agresseur. Elle se ressaisit, se recroqueville et décoche le coup de genou qui lui fera lâcher prise. Il tente de lui mordre la main. Il porte un dentier, elle le lui arrache et le jette de côté. Elle le gifle, l'agrippe par les cheveux, le repousse. Avec toute la force et la fulgurance de sa jambe de ballerine, elle lui lance deux coups de pied douloureux. Il se tient le ventre à deux mains, titube. Folle de rage, elle continue à le gifler à toute volée et à le bourrer de coups de talon.

Le lendemain, elle l'insulte, le menaçant de l'abandonner au premier tournant de la route s'il ne lui obéit pas désormais comme un chien bâtard à son maître. Elle le baptise « Mers el-Kébir ». Jusqu'à la fin du voyage, elle le mènera à la trique :

– « Ici Mers el-Kébir ! » « Couché Mers el-Kébir ! » « À la niche Mers el-Kébir ! » « À la soupe Mers el-Kébir ! »

Et chaque soir, elle fourre une double dose de sel dans sa gamelle.

À l'arrivée à Lanmeur, elle eut le malheur de conter sa mésaventure à Paul Abgrall. Furieux, il pousse le marin dans une remise et lui ordonne de se mettre en garde. Il lui administre à la boxe, à poings nus, une effroyable correction. À chaque crochet bien placé, il se moque : « Attrape, Mers el-Kébir ! »

Flora le supplie de s'arrêter. Il aurait fini par tuer l'Anglais. Paul le prend par les épaules et le contraint à présenter, à genoux, ses excuses à « Nun Nobody ».

Dès leur première rencontre, Flora n'avait pu se défendre d'éprouver un certain sentiment pour Abgrall, proche de cette connivence qui s'établit parfois entre un beau-père et une belle-fille. Il n'était pas impensable que Paul fût le père de Joseph. Plusieurs gestes familiers de son fiancé, plusieurs de ses attitudes, les reflets roux de sa chevelure décalquaient ceux du patron du chantier de bateaux !

Le désintérêt pour Joseph, manifesté par le marin du commerce parti se fixer à Marseille, son adoption de fait par son oncle, le prêt sans intérêt consenti à ce dernier par Abgrall, lors de la commande de son nouveau langoustier, sous la condition (Joseph l'avait confié à Flora) que le neveu jouisse des mêmes droits qu'Yves et Jean-François sur ce bateau, constituaient autant de présomptions.

La violence démentielle qui s'était emparée de Paul, lorsqu'elle l'avait mis au courant de la conduite du commodore, ne s'expliquait-elle pas également ainsi ? Il paraissait cependant inimaginable, que bonne et pieuse comme la lui avait décrite Joseph, sa mère ait pu trahir son « promis ».

Au cours du long bavardage poursuivi dans le bureau du pavillon des contagieux, la veille de la visite des Feld-Gendarmes, sœur Léontine avait rapporté à Flora certains propos tenus par des malades lors de ses gardes de nuit. Plusieurs mères de famille, plusieurs grands-mères, lui avaient avoué que, peu de temps avant leurs noces, une force obscure les avait poussées à se livrer délibérément à l'un de leurs anciens soupirants.

Voulaient-elles, inconsciemment, traiter d'égale à égal avec le conjoint du surlendemain, éviter d'être, plus tard, la proie du regret de n'avoir été, au cours de leur vie, que la femme d'un seul homme, se persuader qu'elles étaient encore libres, avant de se lier pour toujours et de promettre une fidélité scrupuleusement observée par la plupart ? La mère de Joseph aurait-elle cédé à de telles impulsions ?

Il se pouvait aussi que dans cette presqu'île, où les cousinages étaient nombreux, la personne d'un commun trisaïeul fût la seule cause de pareille ressemblance.

La sympathie et les libéralités de Paul Abgrall n'auraient plus eu alors d'autre raison que la pérennité du souvenir d'une jeune morte.

XI

En juin 1942, la filière récupéra un pilote néo-zélandais : John Lelièvre. Le moteur de son « Spitfire » s'était mis à bafouiller. Avant que ses équipiers aient pu revenir sur lui pour le protéger, deux « Messerschmidt » lui avaient réglé son compte. Il avait réussi à sauter en parachute.

Une nuit, Flora l'entendit invoquer, à mi-voix, sa mère et ses sœurs. Elle vint s'asseoir à son côté pour le réconforter.

Il lui demanda de revenir chaque soir. Il voudrait lui parler de son pays, des siens, de ses études, de ses ambitions.

Sa famille est de souche normande. Sous le règne de Louis-Philippe, son bisaïeul et sa toute jeune femme s'étaient joints à un petit groupe de colons français parti s'établir sur le pourtour de la baie d'Akaroa, à six lieues à l'est de Christchurch. Ils se lancèrent dans l'élevage du mouton. Leurs troupeaux et ceux de leurs descendants avaient prospéré. Le père de John a suivi la tradition familiale en consacrant, lui aussi, son activité à la production de la laine. Il a, en outre, repris le haras de son frère aîné, « Oncle Arthur, » chef d'un bataillon de la « N.Z. Rifle Brigade », tué en 1918 lors de la reconquête de la ville fortifiée du Quesnoy, dans le Nord de la France.

John Lelièvre a vingt-trois ans. Avant de rejoindre la Royal Air Force, en septembre 1941, il avait suivi quatre années durant les cours d'astronomie de Cambridge. Cette science le passionne. Il souhaiterait visiter les grands observatoires du monde avant de choisir son point d'ancrage en Europe ou en Amérique. Il aimerait, plus tard, devenir l'un des chroniqueurs scientifiques d'une grande feuille.

Ses parents habitent une longue maison de bois, à mi-pente de l'une des collines enserrant le port de pêche d'Akaroa. Du balcon de sa chambre, il a souvent pointé sur la Croix du Sud la lunette astronomique offerte, pour ses seize ans, par sa grand-mère. La beauté du ciel austral le transportait de bonheur.

Il forme le vœu qu'après la guerre Flora vienne visiter la Nouvelle-Zélande. Il la présenterait à ses parents et à ses sœurs. Il lui montrerait les fjords spectaculaires de la côte occidentale de l'Île du Sud et les glaces éternelles du mont Cook (presqu'aussi élevé que le mont Blanc). Et pourquoi, ne se marieraient-ils pas, Flora et lui ? Il se reproche ce qu'il lui dit là ! Il a le pressentiment qu'il sera tué comme son « Oncle Arthur ». Il reprend le fil de ses souvenirs. Il lui décrit les environs de sa maison, évoque ses longues promenades à cheval avec son père et avec la seconde de ses sœurs pour faire le tour des troupeaux, ou pour la seule joie de piquer des galops effrénés et de sauter des haies difficiles !

Combien d'heures a-t-il passées sur les bords du lac de « Little River », proche de Christchurch, à regarder les cortèges de cygnes noirs évoluer sur ses eaux sombres ? Il ne pouvait s'empêcher de leur superposer les pas de deux du « Lac des Cygnes » dansés par le fantôme d'« Odile ». Féru des ballets blancs, il est souvent allé, lorsqu'il était à Cambridge, assister aux représentations classiques données par le « Royal Ballet » à Covent Garden.

Flora espérait que leurs conversations atténueraient ses angoisses. Hélas, au fur et à mesure que le voyage approchait de son terme, la hantise de la mort accentuait son emprise sur le jeune pilote.

L'avant-dernier soir, il se tourna vers elle pour se saisir de sa main gauche. Ses doigts se sont intercalés entre les phalanges de Flora.

Par quelle magie, des mains jusque-là étrangères se reconnaissent-elles dans l'instant ? Quels fluides se mettent donc à circuler le long des conducteurs formés par la jointure des doigts ? Quels synchronismes viennent amplifier les résonances des rythmes vitaux ? Quelles charrettées de souvenirs, d'illusions, de désirs, de presciences, ces mains liées font-elles alternativement basculer d'un être vers l'autre ? Quels masques détruisent-elles, quelles substances aimantent-elles pour agglomérer des particules disséminées dans des sédiments d'hérédités disparues ? Quelles chimies secrètent-elles pour révéler et développer des images abandonnées dans les tréfonds des inconscients ? Une soudure siamoise se forme, unissant deux existences dans la spontanité de leur sincérité.

Éreintée par une longue route, tombant de sommeil, Flora s'endormit ce soir-là auprès de John. Ses tressaillements, ses soupirs ne tardèrent pas à la réveiller. Il devait se tourmenter, remâcher son inquiétude. Pour exorciser ses peurs, elle lui parla à l'oreille, doucement, très doucement, lui assurant qu'il retrouverait son pays, qu'il reverrait les siens. Elle n'en était pas si certaine : au fond d'elle-même rampait la conviction qu'il disparaîtrait bientôt. Elle prit sa tête sur son épaule, le serra dans ses bras. Peu à peu, la tendresse dont elle l'entourait s'épanouit en une étreinte plus essentielle.

Flora ne s'est jamais sentie aussi complètement femme que cette nuit-là, à la fois protectrice et soumise dans l'accomplissement de l'amour, heureuse dans son être et dans son cœur, délivrée du temps, des dangers, tandis que sourdait dans ses entrailles le prodigieux désir de concevoir un fils.

Elle empêcha John de s'écarter.

À Lanmeur, quelques minutes avant de s'allonger dans la charrette du fermier, il lui prédit qu'il serait descendu à son prochain combat. Il ne se déroberait pas pour autant. La mort ne lui concède qu'une brève existence. Il lui demanda de mettre en bonne place dans sa mémoire l'adresse de sa sœur Suzann à Akaroa, pour lui écrire dès que les relations postales entre la France et le Pacifique seraient rétablies.

Le fermier s'impatientait ; il était grand temps qu'il commence à charger son camouflage de choux-fleurs. En embrassant la « Nun », John lui cita, en guise d'adieu, deux vers de William Yeats :

I know that I shall meet my fate
Somewhere among the clouds above...

La grossesse de Flora fut pénible. Des nausées répétées la contraignent d'abandonner les convoyages en août. En février 1943, elle accoucha d'un fils dans une clinique de la rue Blomet. Elle demanda à l'aumônier d'ondoyer le bébé. Elle le baptisa Jean. À l'état-civil, on aurait, sans aucun doute, récusé le nom de John. Dans l'instant, elle avait adoré son enfant.

Le nourrisson ne vécut que quatre jours. Il venait de têter avec appétit. Elle l'avait reposé dans son berceau, puis s'était assoupie. Quand elle se réveilla, elle se pencha vers lui pour l'admirer. Il ne respirait plus. Elle s'affola, le prit contre sa poitrine. Il était inerte, déjà tiède. Elle appela la sage-femme. Flora n'avait rien à se reprocher. Ces cas d'arrêt du cœur, plutôt rares, étaient bien connus. Rien ne pouvait plus être tenté.

XII

Rue Saint-Sulpice, Flora s'est ensevelie dans son chagrin. Personne n'est là pour la soutenir. Chaque matin, elle s'oblige à reprendre ses exercices à la barre. Elle classe et reclasse les inédits du « Magnifique », se remémore ses poèmes, mais le cœur n'y est plus. Elle ne sait rien de John. Est-il encore en vie ?

En mai 1943, un Anglais sonne à sa porte. Il se recommande d'un group-captain de la R.A.F. qu'elle avait conduit à Lanmeur un an auparavant. Il vient lui demander de greffer sur sa filière une ramification vers la frontière espagnole.

Surprise, elle ne dit ni oui, ni non. Elle argue de son mauvais état de santé pour remettre sa réponse à plus tard. Le lendemain, elle court à Meudon faire part au colonel de gendarmerie de la visite de ce Britannique. Contrarié au premier abord, il paraît soulagé lorsque Flora lui jure de ne pas avoir fait allusion à son existence.

Il ne s'oppose pas à ce qu'elle tente d'organiser une nouvelle chaîne de couvents vers le sud-ouest, mais il la conjure de redoubler de prudence. La Gestapo tisse sur le territoire une toile d'araignée de plus en plus serrée. En outre, toutes sortes de services français, britanniques et américains, actionnés de Lisbonne, de Londres et d'Alger se sont implantés en France.

Plusieurs présentent le sérieux et l'efficacité des professionnels. D'autres se distinguent par leurs rivalités et leur amateurisme. Il frémit à la pensée des dégâts que vont provoquer les jocrisses.

Il rassure Flora sur l'activité de la filière Flandre – Bretagne. Il l'a remplacée par un agent du deuxième bureau interprète d'anglais qu'il a camouflé sous l'apparence de l'un de ces factotums à qui les prélats et les châtelains, éblouis par leur faconde, accordent si naïvement leur confiance. Il n'a pas son pareil pour embobiner l'occupant. Le fidèle Madec est toujours à son poste.

Trois ans auparavant, Flora n'avait pas prêté grande attention à la personne du colonel. Elle l'avait trouvé cassant, à peine courtois. Aujourd'hui, il lui semble plus humain. En se levant pour l'accueillir, il s'est déroulé lentement, comme une mécanique rouillée. Ses yeux ont un éclat gris, métallique. Son nez, mince, tordu en son milieu, surplombe une bouche légèrement contournée. Il a l'air triste, las, désabusé.

À tout hasard, Flora se rendit chez les Bénédictines normandes qui lui avaient fait faux-bond en 1940. La prieure avait changé, lui avait-on dit. Elle rencontra, cette fois-là, un accueil plus compréhensif. On lui donna l'adresse d'une abbaye de l'ordre en Côte-d'Or, on lui prêta un habit de moniale et on la chargea de remettre, à la tourière du monastère bourguignon, un jeu de freins de bicyclette de dame qui lui tiendrait lieu de laissez-passer.

Aux petites heures d'une nuit étouffante du mois de juin, elle débarque en gare de Dijon. Elle a voyagé en bout de couloir, coincée entre un amoncellement de bagages hétéroclites et un groupe hébété de vieilles femmes revenant d'enterrer un parent parisien.

Coiffée d'une écharpe d'ersatz de soie nouée sous le menton, court-vêtue d'un ensemble estival d'étoffe rose, nu-pieds dans des chaussures de toile blanches à semelles compensées, elle traîne dans un cabas de tapisserie noire ses vêtements de moniale, une paire de souliers plats de cuir sombre, un missel, une gourde d'aluminium, son onglier, une trousse de pharmacie, son nécessaire de toilette, le paquet ficelé des freins de bicyclette, un rouleau de papier « ad hoc ». Elle repère, à la droite du bâtiment principal de la gare, l'édifice des toilettes. L'obscurité relative du black-out lui permet d'y pénétrer sans se faire remarquer. Elle s'enferme et a tôt fait de passer la robe de bure par-dessus son tailleur, de ceindre la ceinture, d'ajuster le voile noir et le plastron blanc, d'enfiler les bas de coton gris, de changer de chaussures.

Elle dispose soigneusement, dans le revers de sa manche, son porte-monnaie, son billet de chemin de fer et ses fausses cartes d'identité. Elle a plusieurs heures devant elle avant le départ de l'autobus desservant le canton du monastère. Elle somnole, inconfortablement assise sur un banc de bois dans la salle d'attente des troisièmes classes.

À sept heures, elle se faufile dans le flot des voyageurs descendus de l'omnibus de Chalon. À la sortie, elle remet son billet à l'employé. Elle n'a aucun autre contrôle à subir. Le car stationne en face de la gare. Il est déjà encombré de citadins partant se ravitailler à la campagne. Il achève bientôt de se remplir. Il ne démarrera que sur le coup de huit heures. Les minutes sont longues.

Le véhicule est lent, le moteur tire mal. À plusieurs reprises, le chauffeur stoppe pour fourgonner dans le foyer du gazogène. Au bas d'une côte un peu plus raide, il invite les passagers à descendre et à rejoindre à pied le bus au sommet de la montée.

À midi, le car n'a parcouru qu'une cinquantaine de kilomètres. La plupart des voyageurs l'ont quitté aux arrêts précédents.

À une heure de l'après-midi, le chauffeur fit halte en bordure du foirail d'un gros bourg. Il conseilla aux dix personnes se trouvant encore dans l'autobus d'aller se restaurer à l'auberge d'en face. Pendant ce temps, il ferait examiner son moteur par le mécanicien du pays. Il ne revint qu'au début de la soirée. En procédant au démontage de la culasse, l'ouvrier, prétendit-il, en avait détérioré le joint. La pièce de rechange indispensable ne serait disponible que le lendemain. Force était donc de dîner et de coucher à l'auberge. Flora s'impatientait. Elle retrouva son calme au cours du repas. Elle fit honneur au menu, plus abondant et de meilleure qualité que celui du matin. Elle s'octroya une large portion de fromage, de la tome de Savoie, qu'elle enveloppa dans son mouchoir avec un quignon de pain.

L'auberge était exiguë. Le patron installa les voyageurs à deux par chambre. Flora dut partager un grand lit avec une grosse paysanne. Elle exhalait une odeur de lait caillé et ne cessa de vitupérer que pour se mettre à ronfler sans retenue. Flora se contenta de se brosser les dents au lavabo, de se laver les mains et de se passer un coin de serviette humide sur le visage. Elle remplit sa gourde jusqu'au goulot, vérifia deux fois le serrage du bouchon avant de la replacer dans son sac. Elle s'étendit toute habillée. Il eût été fâcheux que la fermière entrevît sa jupe rose : à combien de questions aurait-elle dû répondre !

Elles furent réveillées par de violents coups de poing assénés à la porte de leur chambre. Flora se leva, alluma le plafonnier, ouvrit. Un homme en chapeau de feutre et complet gris, accompagné de deux soldats allemands, leur ordonna de boucler leurs bagages et de descendre à la salle à manger.

Un attentat avait été commis, la veille au soir, contre une voiture d'état-major de la Wehrmacht. Un officier avait été tué. On allait conduire tous les clients de l'hôtel à Dijon pour vérifier leurs papiers.

Un camion militaire les attendait. Il roula pendant deux heures avant de ralentir pour s'engager sur une forte déclivité. Il stoppa sur un terre-plein bordé par une longue bâtisse de cinq étages ; une minoterie désaffectée, selon toute vraisemblance. Le vacarme d'une chute d'eau empêchait de s'entendre.

On les poussa, sans ménagement, dans un vaste magasin du rez-de-chaussée, éclairé par trois suspensions électriques. Une litière de paille courait au long des cloisons. Un autre groupe arrivé quelque temps auparavant s'entassait au milieu de l'entrepôt.

Un soldat roula la porte d'entrée et en condamna l'ouverture dans un cliquetis de chaînes et de cadenas.

L'homme au complet gris rassembla l'assistance et prit la parole. Les interrogatoires n'auraient lieu que le surlendemain. En attendant, les personnes retenues seraient hébergées dans ce moulin sous la protection d'un détachement de la Wehrmacht. Il était interdit de quitter le local. Les issues sont gardées par des sentinelles. Elles ont reçu la consigne de tirer sur les individus qui tenteraient de s'échapper.

Chacune des personnes va se voir attribuer un emplacement sur la couche de paille disposée au pied des murs. Dans la journée, les personnes retenues sont autorisées à aller et venir dans la salle et à converser entre elles. Mais la nuit elles ne doivent pas quitter l'endroit qui leur a été assigné pour se coucher. La porte du fond donne accès aux latrines. Lorsque, de jour ou de nuit, l'une des personnes retenues éprouvera le besoin de s'y rendre, elle devra aller frapper deux coups à ladite porte. Un factionnaire lui ouvrira, refermera la porte derrière elle, la conduira aux lieux d'aisance et la ramènera dans l'entrepôt. Le factionnaire a l'ordre de ne laisser sortir qu'une seule personne à la fois.

Le café sera servi à sept heures du matin, la soupe à midi et à six heures du soir. La distribution se fera au guichet ménagé dans la porte vitrée latérale située au milieu du mur auquel l'orateur fait face. C'est à ce même guichet que l'on voudra bien rapporter assiettes, bols et couverts.

Flora se demande à quels mobiles obéissent les Allemands pour garder groupés, pendant plusieurs jours, des détenus avant de les fouiller et de les questionner. Au centre de la salle, on discute ferme. Le chauffeur de l'autobus de Dijon pérore ; à son avis, tout le monde va être bientôt libéré. À l'annonce de l'attentat perpétré contre les officiers d'état-major, on avait dû s'énerver en haut-lieu et les échelons subalternes avaient cru bon de faire du zèle, en opérant, à tort et à travers, des rafles dans les hôtels proches de l'endroit où avait eu lieu l'attaque de la voiture. Toute cette agitation va bientôt se calmer. Il est inutile de s'inquiéter.

Les mots du chauffeur du bus sonnent faux. Au cours du trajet en camion de l'auberge au moulin, Flora a surpris un sourire de connivence entre le policier gris et le beau parleur. Cet échange l'a mise sur ses gardes et l'amène à échafauder une hypothèse.

En laissant mijoter, pendant quelque temps dans un lieu de détention provisoire, les personnes interpellées, en minimisant l'importance de l'incident, et en faisant miroiter l'espoir d'un prompt élargissement, la Gestapo mise sur un relâchement de la vigilance des membres de la Résistance. Dans une atmosphère plus sereine, les langues se délient et les gens qui prenaient grand soin de s'éviter se rapprochent. Les mouchards qui infestent ces lieux ont tôt fait de discerner les retrouvailles dont le caractère familial ou professionnel est indéniable des reprises de contact dénotant une appartenance commune à la clandestinité. Les services allemands sont alors, suppose Flora, à même de détecter, aux moindres frais, les pans d'une organisation ou mieux encore les interconnexions de différents réseaux.

Le moral de Flora s'effondre. Accroupie sur la paille, elle mesure son impuissance. Une frayeur grandissante l'envahit. Non point une peur panique, désordonnée ; tout au contraire, un sentiment de mieux en mieux articulé, structuré par une logique de plus en plus implacable. Aucune de ses explications ne résistera une minute au plus anodin des interrogatoires. Une fois démasquée, on la forcera à parler. Elle craint d'être incapable de supporter les sévices que la Gestapo inflige aux récalcitrants.

Doutes et scrupules assaillent son esprit. En se lançant dans son aventure, elle a embarqué nombre de personnes dans sa galère. Elle soupèse le poids de ses responsabilités au regard de tous ceux qui lui ont accordé leur confiance : Abgrall, l'assureur morlaisien, les cultivateurs de Lanmeur, le colonel de Meudon, Madec, le nabot du Châtelet, les supérieures des couvents relais.

Elle en arrive à se demander si ses activités en valaient la chandelle. Elle a, certes, contribué à sauver quarante-sept aviateurs alliés, mais combien de Français vont-ils se trouver en danger de mort s'il lui advient de craquer au cours des épreuves qui l'attendent. Son patriotisme, sa haine de l'envahisseur l'ont déterminée, mais si elle tient à demeurer totalement sincère vis-à-vis d'elle-même, elle doit admettre que son penchant pour le théâtre et le plaisir de se costumer ont largement contribué à l'éclosion de son idée de créer sa filière d'évasion. Tout cela n'entâchait en rien la pureté de son intention primitive. Cette initiative lui a toutefois procuré un rôle, que la plus brillante carrière théâtrale ne lui aurait jamais offert. Remâchant l'humiliation d'avoir été prise au piège, Flora s'abandonne aux deux syllabes martelant ses tympans : le jeu ! le jeu ! le jeu !

Le « Magnifique », après l'avoir mise en situation, lui avait appris à jouer et, depuis son engagement dans la filière, elle n'avait cessé de jouer. Jeu : sa manière ambiguë de demander à Monsieur Raymond de lui garder ses défroques de nonnes. Jeu : son application à se pénétrer des attitudes et des locutions propres à telle ou telle congrégation. Jeu, encore et toujours, la folle témérité l'incitant à faire stationner sa camionnette à deux pas des kommandantur et à en interpeller les factionnaires en un effroyable sabir franco-germanique.

Jusqu'à ce jour, elle n'avait jamais cru que ses pantomimes aient pu comporter de véritables risques. Elle baignait ingénument dans l'ambiance d'une perpétuelle « *Commedia dell'arte* », n'imaginant pas que ses acteurs puissent prendre leurs rôles tout à fait au sérieux. Une telle inhibition lui permettait de sauvegarder son insouciance et de conserver, en toutes circonstances, un air parfaitement naturel. Elle était certaine de ne jamais avoir éveillé le moindre soupçon. Tous ses convoyages s'étaient déroulés sans encombre. Bien sûr, au pavillon des contagieux, l'alerte avait été chaude, elle ne s'en était pas moins métamorphosée en une faramineuse bouffonnerie.

Mais là, dans ce magasin sinistre, la comédie est finie et bien finie. Flora s'en veut d'avoir cédé aux sollicitations de l'émissaire britannique ! Était-il vraiment anglais ? N'avait-elle pas été prise en filature, depuis sa visite ? Ne s'agissait-il pas d'une vengeance du commodore ? Son esprit s'égarait !

Elle s'évertue à donner le change. Elle a sorti le missel de son cabas et fait mine de s'abîmer en oraisons.

La prescience d'un danger imminent la tenaille. La vision du local, dans lequel on l'interrogera le surlendemain, l'angoisse. Elle imagine les sarcasmes dont seraient assaisonnées les questions posées. Elle perçoit la présence des deux brutes chargées de lui tirer les vers du nez. Elle se sent lâcher pied après les premières brûlures de leurs cigarettes sur le bout de ses seins, avouant tout ce qu'elle sait, livrant toutes les adresses qu'elle connaît. Les lancinantes modulations de l'eau qui court le long du mur extérieur achèvent de saper les derniers bastions de sa volonté. Elle se croyait forte, elle n'est plus qu'une loque.

Une tentation s'instille en elle, inconsistante en son premier état, prenant corps ici et là, ondulant sous sa peau, se fixant de plus en plus nettement dans tous les recoins de son cerveau, imposant finalement à son être une impérieuse évidence : le suicide. Elle retrouve, dans l'instant, la plénitude de sa sérénité.

Elle ne se pose aucune question sur l'au-delà. Elle est croyante, mais à cette époque de sa vie, la piété ne l'étouffe guère. Elle a découvert le moyen d'échapper aux Allemands. Rien d'autre ne doit compter.

Le temps presse. Elle doit réaliser son projet dans la nuit, en utilisant une « procédure » qui, tout en ne lui répugnant pas trop, serait cependant infaillible. Se rater la placerait dans une situation encore plus dramatique. L'assortiment de sa trousse de pharmacie ne comprend ni somnifères ni produits toxiques et le colonel de Meudon n'a sans doute pas osé lui proposer des capsules de cyanure. Les ciseaux de son onglier sont tranchants à souhait, mais l'idée de s'ouvrir les veines la révulse.

En fouillant son cabas pour chercher le livre de messe, ses doigts avaient heurté le paquet contenant les freins de bicyclette. Au milieu de ses émotions, elle en avait oublié l'existence. Elle pense détenir là l'instrument de son dessein.

En raboutant les deux câbles, elle obtiendra un filin assez solide pour confectionner un nœud coulant efficace. Si la longueur s'avère insuffisante, son voile, étroitement torsadé, lui fournira la rallonge nécessaire. Il ne lui reste plus qu'à repérer l'endroit où elle pourra accrocher sa « corde ».

Les murs de l'entrepôt présentent, ici ou là, des anneaux et des crochets fixés à bonne hauteur. Il est cependant probable que l'électricité demeurera allumée toute la nuit. Son manège ne pourrait passer inaperçu. C'est seulement à l'extérieur qu'elle trouvera cheville à son cou.

Au début de l'après-midi, Flora était allée frapper à la porte du fond. Un jeune soldat casqué, le col largement ouvert, les manches retroussées, le fusil à la bretelle, deux grenades suspendues à son ceinturon l'avait menée, vingt pas plus loin, au premier des édicules jumeaux, à cheval sur le canal et adossés au mur du bâtiment.

Recouvertes de tuiles mécaniques noircies par l'humidité, ces cahutes étaient fermées par des portes de bois ornées d'une découpe en as de cœur, pour la première, en as de carreau pour la seconde. L'installation était sommaire. Le jour pénétrait par le cœur de la porte et par une lucarne latérale. Une planche horizontale, percée en son milieu d'une lunette circulaire, reposait sur un bâti vertical de briques pleines, jadis blanchies à la chaux.

Avant la distribution de la soupe du soir, elle demanda à retourner à l'édicule. La sentinelle était, cette fois, un gros bonhomme, à la face porcine, luisante de graisse.

Assise sur la planche, elle détaille les lieux. La disposition de la charpente lui permettrait de faire passer son câble ou de nouer son voile autour de la poutre située à l'aplomb de la lunette. En s'attachant court, ses jambes pourraient pendre dans l'ouverture du siège, sans descendre plus bas que ses genoux.

Bien mieux, en faisant courir ses doigts sous le rebord de la planche, il lui paraît possible de la faire bouger vers le haut, comme un couvercle. Elle arriverait à la desceller et à la précipiter dans l'eau du canal et ses hanches ne risqueraient plus de se bloquer dans la lunette.

Elle en est là de ses supputations lorsqu'elle s'aperçoit que le gros Allemand l'espionne à travers le cœur de la porte. Furieuse, elle lui fait signe de s'écarter. Il ne bouge pas d'un pouce.

Son sang ne fait qu'un tour. Ce malotru en aura pour son argent ! Il se souviendra longtemps du lever de rideau qu'elle va lui servir à l'enseigne de Rabelais.

Lors de son premier séjour à Camaret, faisant fi des mises en garde de sa logeuse, elle s'était gavée au dîner de l'intérieur d'un tourteau. Cette nuit-là, une débâcle carabinée n'avait cessé de la tourmenter.

Elle mime, en en rajoutant, les contorsions, les roulements d'yeux, les soupirs et les gémissements de son miserere. Elle élargit son répertoire en multipliant ses emprunts au rouleau de papier « ad hoc » contenu dans son sac tout en tirant la langue au rustaud. Elle esquisse le geste de lui fourrer son torche-cul dans l'œil. Le cochon exulte.

Le soldat la raccompagne. Juste avant de franchir le ponceau, elle se retourne et repart en courant vers la cahute en proférant des « schnell », « schnell » désespérés. Elle bisse son morceau de bravoure. Au comble du bonheur, l'Allemand s'esclaffe. En la voyant ressortir pliée en deux, il lui tape sur l'épaule : « Ach, la purée verte, la schweitzer ! »

Elle lui réplique, avec gestes à l'appui, que sa crise ne fait que commencer. Elle redoute de devoir se promener toute la nuit. La savoureuse histoire que le goujat racontera dans sa chambrée, après sa relève, donnera lieu, à coup sûr, à de délectables plaisanteries. La comédie reprend ses droits, mais Flora s'est mise à haïr le bonhomme.

La soupe est infecte. Les heures passent. Elle doit hâter ses préparatifs. Elle prend son cabas sur ses genoux. En se gardant d'en sortir la moindre chose, elle farfouille dans son contenu. Ses ciseaux à ongles lui permettent de trancher les ficelles et d'éventrer le papier d'emballage du paquet confectionné par le marchand de cycles normand. À l'aide de la lime extraite de son onglier, elle parvient, à tâtons, à débloquer les vis qui assurent la liaison des étriers et des câbles des freins. En revanche, elle n'arrive pas à en rabouter les extrémités. Elle finit par comprendre la nécessité de cisailler, au préalable, leur gaine sur une bonne longueur. Elle n'éprouve plus, alors, de difficultés pour les nouer solidement.

Allongée sur la paille, la tête posée sur son cabas, elle observe la queue des gens devant la porte du fond. Le bruit court que plusieurs détenus ont été libérés. Le chauffeur du car de Dijon fait partie du lot. Les langues vont bon train. L'espoir renaît. L'assurance de ses compagnons commence à déteindre sur Flora. L'élargissement du conducteur de l'autobus ranime toutefois sa conscience du danger.

La file d'attente s'amenuise. Elle se lève et va, son cabas au bras, se mettre à la dernière place. Elle tente de chasser l'émotion que provoque en elle l'approche de la mort, en fixant dans son esprit les traits du paysage qu'encadre, dans le jour finissant, l'ouverture intermittente de la porte.

La pente concave d'un pré fauché de la veille, planté sur sa droite de quelques pommiers, remonte doucement vers une route à flanc de coteau.

Un talus abrupt, couronné d'une charmille opaque, ferme le décor. Un grillage, tendu entre des pieux de béton, sépare le pré de la route.

Étayés par des jambes de force, ces poteaux ressemblent, de loin, à des pantins. Ces figures abstraites sautent aux yeux de Flora. Leur géométrie bouge, se déforme, s'anime en une sorte de danse macabre sur les rythmes saccadés de « L'Écossaise » de Beethoven si souvent inscrite aux leçons des « rats ».

La jeune sentinelle l'a reprise en charge. Elle veut masquer l'as de cœur avec son sac. Il se fâche. Elle n'a plus qu'à mimer une troisième fois la scène de la débâcle et à se laisser reconduire dans la salle commune. Les ampoules des trois suspensions brillent d'un vif éclat. Elle se désespère, implore Joseph.

Brutalement l'envie de tuer s'empare d'elle. Sa haine des occupants s'exaspère. Tuer ! Tuer ! La scansion du mot la transporte dans un état second.

Elle se remémore les bribes d'une conversation tenue par deux de ses « orphelins » britanniques.

Le plus âgé évoquait les enseignements tirés de son récent stage dans une unité de commandos. Il décrivait les divers moyens de neutraliser, la nuit, un adversaire isolé. L'utilisation d'un câble métallique lui paraît le plus efficace. Pour empêcher le fil de glisser entre les mains, il est impératif de confectionner à chacune de ses extrémités, une ganse fourrée de ficelle ou d'étoffe. Si l'on en a la possibilité, il est préférable de les munir de poignées. Ganses ou poignées bien en mains, on forme ensuite une boucle régulière un peu plus large qu'une tête casquée. Il faut prendre bien soin de presser entre les pouces l'endroit où les brins se croisent. Il faut agir vite.

Dès que le client est à bonne portée, d'un geste vif des avant-bras, on le coiffe de la boucle jusqu'aux épaules et, en se précipitant tout contre lui, on déploie vigoureusement les bras à l'horizontale. Au lieu de chercher à repousser l'agresseur, la victime porte instinctivement ses mains à son cou. Si le mouvement est correctement exécuté, la mort est quasi-instantanée... Bien entendu, une fois le cou du client convenablement cravaté, la longueur totale du reste du câble doit être légèrement inférieure à l'envergure des bras de l'assaillant.

Flora se surprend à mesurer la largeur de la sienne. En étendant et en rapprochant ses doigts, elle compte et recompte : quatre mains de l'aplomb de son menton à la jointure du poignet, son tour de cou fait tout juste deux mains : dix mains en tout. Fébrilement, elle enfouit ses avant-bras dans son sac et vérifie à plusieurs reprises la longueur de son « arme ». Surmontés du collier destiné à les fixer au guidon d'un vélo, les deux leviers de freins offriront des poignées fiables.

Elle décompose mentalement la suite des gestes à exécuter, rythme les tempos de leurs enchaînements. Elle a l'impression de se remémorer une chorégraphie. Elle s'acharnera, jusqu'à ce qu'elle ait obtenu une vision intérieure parfaitement claire et précise du déroulement de l'opération. Deux difficultés l'incitent à réfléchir : *primo*, éviter d'accrocher avec la boucle le canon d'un fusil porté « à la bretelle » ; *secundo* : passer du premier coup ladite boucle sous l'arrière du casque. Autre question cruciale : où sortir l'« étrangloir » de son sac ? dans la salle commune ? dans l'édicule ? Elle adopte la première solution.

Flora discipline sa respiration, contient les battements de son cœur, repasse mentalement, une dernière fois, le détail des gestes du scénario, fait jouer les muscles qui amorceront leur déclenchement, murmure le numérotage de leur succession.

Elle se lève, frappe à la porte du fond. Le malotru est de garde. Il a suspendu son casque à son ceinturon et s'est coiffé de son calot. Jovial, il éructe cinq ou six mots. Il a passé sa torche électrique à travers l'as de cœur. Flora devine son œil en retrait.

Elle se redresse, pousse du pied son cabas dans le coin de la cahute, rouvre la porte, sort. La lune dispense une lumière borgne. Geignante, le dos voûté, elle reprend le chemin du ponceau, le factionnaire sur ses talons.

Les bras croisés dans l'ampleur de ses manches, elle prépare la boucle, compte jusqu'à cinq, jaillit dans l'éclair d'une pirouette. Deux secondes plus tard, sans avoir poussé un cri, les doigts crispés sur le col de sa vareuse, le soldat s'écroule.

Le charivari des eaux du bief a noyé le tintamarre de la chute de son fusil et des rebonds de son casque.

Le scénario de Flora s'arrêtait là. Obnubilée par sa volonté d'écarter tous les obstacles qui l'empêchaient d'aller se pendre, elle se retrouve toute interdite, lorsque dans la minute de la mort de l'Allemand, sa résolution de se supprimer se dissipe. La réussite de son geste l'a plongée dans un état d'hébétement insurmontable. En somnambule, elle ramasse les poignées, traîne le corps par le cou jusqu'à l'intérieur de l'édicule, parvient, non sans mal, à l'asseoir en l'accotant au bâti de briques du siège. Elle retrouve son cabas, le lance dans le pré, va rechercher le calot, le casque, la lampe, le fusil du mort. Elle cale soigneusement l'arme dans une encoignure, suspend le casque à son canon, dépose le calot et la torche électrique dans la coiffe du casque.

Elle est devenue le jouet d'un phénomène de transfert. L'idée de simuler le suicide de la sentinelle lui vient spontanément. Elle n'a pas la force de redresser seule le bonhomme pour rapprocher sa tête du toit de la cahute. Elle va tenter de le hisser à l'aide de son ceinturon et de ses bretelles. Elle déboucle le ceinturon, les deux grenades tombent par terre. Elle les retrouve à tâtons et les range contre la crosse du fusil.

Elle déboutonne la vareuse, s'empare des bretelles. Leurs bandes de coutil sont d'une solidité à toute épreuve. Rejetant les deux poignées du cable derrière la nuque de l'homme, elle les ligote au dos des bretelles.

D'un coup de poignet, elle fait passer le ceinturon par-dessus la poutre de la charpente et le reboucle soigneusement. Elle dispose alors d'un support autour duquel elle fait glisser l'avant des bretelles. En halant bas leurs lanières, elle réussit à soulever le cadavre jusqu'à ce que le fessier atteigne le niveau de la lunette. Elle noue le coutil au cuir du ceinturon.

Elle s'attaque à la planche du siège en effritant les baguettes de plâtre qui la soudent à la maçonnerie. Les bordures finissent par céder. Elle libère la lunette en la faisant jouer comme un couvercle et la bascule dans le canal. Elle se saisit des mollets du mort, leur fait enjamber le bâti de briques, le corps se balance dans le vide. Il lui revient en mémoire que les étriers des freins sont restés dans son sac. Elle sort le reprendre dans le pré pour récupérer tout ce qui pourrait constituer d'accablantes pièces à conviction, s'il lui advenait d'être arrêtée. Elle roule les restes de ficelle, les morceaux de gaine cisaillés et les étriers dans le papier d'emballage et jette le paquet dans le bief. Pour parfaire la mise en scène, elle promène les doigts du défunt sur le métal des leviers des freins.

Elle ramasse son cabas, quitte l'édicule, en referme la porte. Pas un chien n'aboie. Seul, le bruit de la chute d'eau du moulin trouble le calme des alentours.

XIII

Pliée en deux, très lentement, Flora traverse le pré en biais. L'herbe, fraîchement fauchée, fléchit sous ses pas. Leur empreinte devrait s'estomper dans la rosée qui trempe ses chaussures. Elle s'arrête un moment à l'abri des pommiers. Son cœur bat la chamade.

Elle a mésestimé la hauteur de la clôture. Comble de malchance, un amoncellement de barbelés obstrue le fossé extérieur.

Il ne lui est plus possible de reculer. Ses jupes roulées autour de sa taille, elle escalade un poteau. Parvenue au sommet, elle expédie son sac, sur l'accotement de la route, enjambe le grillage, redescend à mi-hauteur, pivote sur elle-même, plaque son dos contre le plat du pieu, et faisant jouer ses doigts de maille en maille, à la manière d'une pianiste aux prises avec une série de substitutions difficiles, ramène ses mains à ses hanches, tout en fléchissant ses genoux dans le plus classique des pliés.

La largeur du fossé est impressionnante. Flora arc-boute ses coudes contre la clôture, décolle sa nuque du pilier, assure ses talons sur les croisillons de la grille, incline le buste et, à la limite de la perte d'équilibre, dénoue ses phalanges. La poussée de ses avant-bras, la détente de ses jarrets, lui font réussir le saut en avant. Cependant, en fin de course, elle se raidit et atterrit brutalement sur le côté.

Elle se relève, défait les bourrelets de sa robe, reprend son sac, traverse le macadam. La paroi du talus est trop élevée, son abrupt trop à pic, pour qu'elle songe à grimper jusqu'à la charmille. Elle remonte la route. Les rouleaux de barbelés s'arrêtent à la limite du verger, elle reprend sa droite prête à se jeter dans le fossé, à la moindre alerte.

Personne ne vint l'inquiéter. Elle est seule dans le silence d'une campagne endormie, seule dans un décor dont la clarté lunaire métamorphose, à chaque instant, les apparences.

La route rattrape bientôt la lisière des bois. Flora s'enfonce dans les fourrés. La lune l'aide à contrôler son orientation. Une nouvelle difficulté l'attend. Une profonde tranchée de chemin de fer traverse la forêt. Elle pourrait en dégringoler facilement la pente ; elle s'estime, en revanche, incapable d'en escalader le bord opposé. La coupure peut être longue de plusieurs kilomètres. Ce serait folie que d'aller se flanquer au fond de ce trou, à la merci de la première patrouille de gardes-voies.

Elle s'adosse à un tronc d'arbre. Son absence a déjà dû être remarquée, le corps de sa victime découvert, l'alarme donnée, les recherches commencées. Elle prend le parti de suivre, à main gauche, la lèvre de la tranchée. Heureuse inspiration, au bout d'un quart d'heure, elle tombe sur un layon, à l'aplomb duquel, emboîtées dans des claies, des marches creusées dans la terre facilitent le franchissement de l'obstacle.

D'autres recommandations de l'« orphelin » britannique s'imposent à son esprit. La nuit, en terrain découvert, demeurer collé au sol, se garder de tout geste brusque, ne se déplacer qu'avec la plus grande précaution. Elle s'applique à descendre et à remonter les escaliers rudimentaires le plus doucement possible, le dos à la pente. Pour traverser les voies aux rails luisants de lune, elle s'est couchée sur le ballast, roulant lentement sur elle-même.

Au-delà du chemin de fer, le layon trace une percée rectiligne dans le taillis. Le sol est souple, insonore. Flora presse le pas, se surprend à courir. La panique la saisit. Les anneaux de son cabas au creux de son coude gauche, les mains crispées sur le retroussis de sa robe, elle accélère ses foulées.

Loin de la paralyser, la peur la maintient dans une sorte de transe. Elle court, comme un animal fuyant un feu de brousse, comme une bête pressée par une meute. Une inconsciente obsession règle le rythme de son cœur, le volume de son souffle, la cadence de ses membres. Combien de temps courut-elle ainsi ?

Sans transition, le taillis a fait place à une futaie de hêtres. Haletante, exténuée, Flora s'écroule. Sa joue repose sur la fraîcheur de l'humus. Quand elle reprend son parcours, les bosses de la mousse, les morceaux de bois mort épars sur le chemin, l'obligent à marcher d'un pas plus raisonnable.

L'aube pointe. Le paysage forestier a changé. Aux hêtres ont succédé des résineux. Des amas d'abattis meublent les alentours. La fugitive abandonne le sentier, se juche au sommet de l'un de ces tas, déblaie, non sans peine, un enchevêtrement de branchages pour s'aménager une cachette. Elle s'endort.

Le soleil de midi la réveille. Elle baigne dans une senteur de résine, dans un bruissement d'insectes. Elle se soulève, prête l'oreille : nul cri humain, nul jappement de chiens. Elle débouche sa gourde, boit un peu d'eau, entame son quignon de pain, s'offre un morceau de fromage.

Son torse la fait souffrir. Elle s'en veut d'avoir si malencontreusement terminé son vol plané au dessus des fils de fer barbelés. Elle se réinstalle sur le dos, ferme les yeux, s'assoupit dans la chaleur de l'après-midi. Elle attendra le lever de la lune pour se remettre en route. Elle suit la même direction que la veille, cheminant dans des alternances de taillis et de futaies.

Ses muscles accusent leur fatigue, ses douleurs s'exaspèrent. Elle ne peut plus courir, traîne la jambe, multiplie les poses.

Un rond-point l'oblige à s'arrêter. Six routes forestières l'étoilent. Elle emprunte celle qui lui fait face. Le ciel commence à blanchir, des coqs chantent dans le lointain. Flora se récite l'un des sonnets de Jodelle :

Comme un qui s'est perdu dans la forêt profonde

Un chemin charretier aligne ses banquettes coloriées de fleurs jaunes, ses ornières de boue séchée tout au long de la lisière. À trois cents mètres, étiré en longueur, dominé par un clocher à jours, un village développe, parallèlement au tracé du chemin, les indentations de son envers, avec ses jardinets et ses cours, ses appentis et ses étendoirs masquant, à-demi, le dos des maisons.

Nulle venelle ne semble s'amorcer de ce côté-là, mais au centre d'une haie de lauriers un portillon vert pomme paraît donner accès à la cour d'une école. Ses murs blancs contrastent avec le grisé des habitations voisines.

Flora s'interroge. Sa robe engluée de résine, déchirée en plusieurs endroits, lui interdit de se montrer dans le bourg. Elle s'en dépouille. Protégé par l'épaisseur de l'étoffe de bure, son tailleur rose est intact, sinon froissé. Elle quitte ses souliers de cuir et ses bas de coton, remet ses chaussures de toile blanche, nettoie ses ongles, humecte ses yeux et ses lèvres avec le peu d'eau qui lui reste, brosse longuement ses cheveux, coiffe son foulard.

Ce changement de pelure fait d'elle une autre personne, plus allante, plus élancée. Le sentiment du danger s'effiloche. Le poids des dernières heures s'allège. Sa confiance en elle renaît. Toutefois, les douleurs poignardant ses côtes contrecarrent encore la liberté de ses mouvements.

La destruction ou la dissimulation de son déguisement et de ses faux papiers est impérative. Elle ne possède pas d'outil pour les enterrer et leur abandon sur place trahirait, tôt ou tard, sa présence ou son passage dans le village.

Elle plie son fourniment de nonne, roule ses papiers entre ses doigts pour les faire passer par le goulot de sa gourde, remet le tout dans son cabas, s'asseoit, somnole.

Le village s'éveille. Les persiennes s'ouvrent. Les cheminées fument. Le soleil levant illumine le ripolin du portillon vert. Flora quitte l'abri des bois, prend le chemin charretier, sifflote un air d'opérette. Au droit de l'école, un sentier coupe à travers champs.

Il lui suffit de tirer une targette pour ouvrir le portillon. Elle le franchit sans se presser, traverse la cour, frappe à la porte vitrée d'une cuisine. Une jeune femme brune, boulotte, les cheveux ébouriffés, la prie d'entrer et de s'asseoir. Tout de go, la fugitive lui déclare qu'elle est professeur, qu'elle milite dans la Résistance, et que l'avant-veille, elle avait dû étrangler un soldat allemand pour s'évader d'un local où elle était enfermée après avoir été arrêtée dans une auberge. Elle comprendrait fort bien qu'on la prenne pour une folle ou pour une provocatrice et qu'on la prie de passer son chemin, voire que l'on demande aux gendarmes de venir l'arrêter. Elle se lève et va poser la main sur le bec de cane de la porte.

La jeune femme l'examine de pied en cap, la regarde dans les yeux, la prend par le bras, l'invite à se rasseoir et lui sert une tasse de café. Dans un flot de paroles, Flora commence à lui narrer son aventure.

Un sursaut brutal interrompt son propos. Une chape d'inquiétude la paralyse. Tout ce que son sac contient de compromettant doit disparaître dans l'instant.

Armée d'un fer à friser, elle s'escrime à extraire ses faux-papiers de sa gourde. L'institutrice les brûle aussitôt dans sa cuisinière, s'empare du cabas, descend le cacher à la cave.

Vif, rablé, brun lui aussi, le mari vient de pénétrer dans la pièce. Mis au courant des raisons de la présence de Flora, il lui demande de les appeler, sa femme et lui, par leurs prénoms, Denise et Jacques. Ils l'installent dans leur chambre, lui recommandent de n'en bouger sous aucun prétexte, et surtout de ne pas se montrer à la fenêtre.

Les enfants commençaient à envahir la cour. Ils la laissèrent seule pour aller ouvrir les classes. Ils revinrent à midi. Après un déjeuner, vite expédié, Denise et Flora allèrent rechercher le cabas et le montèrent au premier. Munies chacune d'une grande paire de ciseaux, elles se mirent à découdre et à découper voile, robe, plastron, bas de coton gris. Denise roulait les morceaux, les uns après les autres, les nouait avec des faveurs de couleurs vives, avant de les placer dans les enveloppes de toile où elle tenait en réserve les étoffes destinées aux travaux de couture des écolières. Les deux femmes s'étaient appliquées à éliminer les lambeaux de tissu poissés de résine ; Denise les brûlerait au moment du dîner.

Le soir, Flora sentit la réticence de ses hôtes à l'héberger plus d'un ou deux jours. Jacques lui proposa d'aller se réfugier dans l'un des maquis du département voisin. Elle accepta.

Denise l'avait vue grimacer de douleur lorsqu'elle se levait de sa chaise. Elle insista pour l'examiner, avant qu'elle n'aille se coucher.

Le sein gauche est tuméfié. La moindre pression sur les côtes déclenche des sursauts incontrôlables. Denise tamponne les chairs avec une éponge imbibée d'eau tiède et de sel et sangle le torse avec une bande Velpeau.

Flora ne dormit guère. Elle entendit Jacques sortir peu après minuit, pour ne rentrer qu'à l'aube. En lui apportant son petit déjeuner, Denise lui fit part du résultat des démarches de son mari. Un maréchal des logis et un gendarme d'une brigade des environs viendraient la chercher à la tombée de la nuit. Pour éviter les difficultés qu'occasionnerait une éventuelle rencontre avec une patrouille allemande, ils la feraient passer pour une délinquante de droit commun. Les gendarmes l'abandonneraient en rase campagne. Deux maquisards la prendraient en charge. Elle aurait une bonne dizaine de kilomètres à parcourir à pied.

La fugitive vécut une journée inconfortable. Devait-elle faire confiance à l'instituteur et à sa femme ? Ils pouvaient être vichystes et avoir imaginé cette mise en scène pour se débarrasser discrètement d'une présence encombrante.

À onze heures du soir, les deux gendarmes grattèrent à la porte. Le maréchal des logis était porteur d'un mandat d'amener établi à l'encontre d'une dénommée Antoinette Six, née en 1914, dans une commune du Nord dont les archives municipales avaient été incendiées en 1940. Il lui fit apprendre par cœur la liste des méfaits dont, voleuse qualifiée, elle s'était rendue coupable à Troyes et à Gray. Il lui indiqua le mot de passe que les maquisards lui demanderaient, lui jeta une couverture bleu foncé sur les épaules et lui mit les menottes.

Garée sur le chemin charretier, la voiture de la gendarmerie rejoignit une route nationale, s'engagea sur un raidillon, stoppa au coin d'une haie. Les gendarmes la laissent là. Ils lui font le salut militaire.

XIV

Trois hommes sortent de l'ombre, exigent le mot de passe. La marche, à travers bois et à travers champs, dure trois heures. Flora dissimule à ses compagnons la souffrance que son côté lui fait endurer.

Son séjour dans le maquis se prolongea plus d'une année : un long entracte ralentissant l'écoulement du temps. Elle dut, d'abord, rester allongée deux mois sur des bottes de paille, dans la chaleur poussiéreuse de l'été. Le médecin qui venait la voir de temps à autre lui avait imposé une immobilité féroce. Il ne voulait pas la voir bouger, tant que les deux côtes fêlées ne se seraient pas ressoudées. Il ne comprenait pas comment elle avait réussi à courir aussi longtemps la nuit de son évasion.

Le chef du maquis est un directeur d'école d'une cinquantaine d'années. Capitaine de réserve de chasseurs à pied, il se fait appeler Trumeau. Marcheur infatigable, bourru, il jouit d'une autorité naturelle que personne n'oserait contrecarrer. Omniprésent, méthodique, attentif aux moindres détails, il a organisé son unité pour qu'elle réponde à une triple ambition. Perpétrer, en premier lieu, de fréquentes actions de harcèlement contre la Wehrmacht, pour se procurer directement armes, munitions et explosifs. En second lieu, assurer le stockage et la distribution du contenu des parachutages alliés. En troisième lieu, enfin, héberger des gens recherchés par les occupants. Trumeau a recueilli plus de cinq cents personnes : jeunes gens réfractaires au service du travail obligatoire en Allemagne, juifs passés au travers des mailles des rafles, résistants « brûlés » comme Flora.

Il sélectionne les gaillards qu'il juge nerveusement et physiquement capables de renforcer ses groupes de combat. Il ne demande aux autres que de se faire oublier, non sans leur avoir prescrit de ne jamais se montrer à découvert pendant le jour, et d'être prêts à déguerpir, dans la minute où il en donnerait l'ordre, pour aller se replier dans d'autres gîtes, à une nuit de marche plus loin.

Les groupes de combat comptent près de trois cents hommes répartis en deux catégories : les sections de protection et les sections de raid.

Le dispositif adopté par Trumeau reflétait son souci de conserver à sa formation un caractère diffus et mobile. Il s'était établi en « arête de poisson ». Sur une dorsale longue et sinueuse, s'étirant sur une succession de lignes de crêtes de quelques kilomètres chacune, il avait égrené des gîtes d'une trentaine de personnes en tirant parti des possibilités offertes par les bâtiments de fermes isolées, les cabanes de bûcherons et les anfractuosités naturelles.

De part et d'autre de cette ligne, les « arêtes » étaient constituées par des éléments des sections de protection, relevés chaque soir, qui assuraient une surveillance permanente des accès à la dorsale. Outre ces missions de guet, ces sections étaient chargées des transports d'armes et de munitions et de l'aménagement de leurs cachettes.

Composées d'hommes endurants, adroits et bons tireurs, les sections de raid permettaient à Trumeau d'agir à plus de soixante kilomètres de sa base.

Il préparait minutieusement ses actions, mais si chemin faisant une affaire plus attrayante se présentait, il n'hésitait pas à changer ses batteries pour sauter sur l'occasion. Il s'imposait, toutefois, de ne jamais se manifester à moins de huit lieues de son sanctuaire.

Il prenait personnellement la tête de tous les coups de main, se terrant, avec ses compagnons, pendant le jour, déclenchant l'action au crépuscule, décrochant aussitôt après pour se replier à marches forcées dans la nuit. Ces raids lui prenaient près d'une semaine aller et retour. Il en montait un ou deux par mois.

À l'arrivée de Flora, il avait à son actif, le déraillement d'un train transportant une compagnie de chars « Panther », la destruction de quatre dépôts d'essence et une vingtaine d'attentats sur des détachements isolés. Il lui arrivait aussi de rentrer bredouille. Il n'était pas, alors, à prendre avec des pincettes pendant plusieurs jours.

Les relations de Flora et de Trumeau furent brèves. Il l'avait chargée de traduire les notices d'emploi des nouveaux modèles d'armes anglaises. Ignorant tout des termes techniques, elle ne lui remit qu'un travail parsemé de nombreux blancs. Estimant qu'elle n'était, sans doute, pas bonne à grand chose, il lui confia l'accueil des nouveaux arrivés et l'oublia.

Elle ronge son frein. On l'a fagotée comme l'as de pique. Engoncée dans une vareuse de gros drap kaki, serrée dans un pantalon de treillis, elle se sent mal à l'aise. Elle soupçonne Trumeau d'être misogyne. Il n'y avait que cinq autres femmes dans le camp : la cuisinière de Trumeau, deux couturières, deux infirmières, toutes d'âge canonique. Elles la tenaient à distance. Flora ne fit rien, de son côté, pour arrondir les angles.

À l'automne, un vieux médecin et son petit-fils débarquèrent. Ils habitaient Paris, dans le VIIIe arrondissement. Le grand-père et le jeune homme étaient sortis de bon matin pour faire les courses. En revenant chez eux, ils se heurtèrent, au coin de la rue, à la fille de la concierge qui les adjura de fuir. La Gestapo venait d'emmener toute leur famille, plusieurs Allemands étaient encore chez eux.

Le docteur avait entendu parler d'un possible repli à Beaune. À la gare de Lyon, rejointe à la hâte, son petit-fils et lui sautèrent dans un train en partance pour la Bourgogne. Dès leur arrivée, ils allèrent se confier au curé de l'église Saint-Nicolas. Le digne ecclésiastique les conduisit lui-même aux Hospices où, en leur faisant jurer le secret, une dame en hennin leur communiqua l'adresse d'un camionneur qui les déposa chez Denise et Jacques.

Le vieil homme pleurait de rage. Sa femme, sa fille veuve, ses trois petites-filles étaient aux mains des occupants. Son petit-fils maintenant en sûreté, il voulait, à toute force, revenir à Paris ou se rendre à Vichy, pour obtenir la libération des siens. Trumeau s'opposa formellement à son projet. Ses protestations ne seraient suivies d'aucun effet, il allait au devant d'une arrestation certaine et risquait de mettre en péril la filière qu'il venait d'utiliser. Qui donc pourrait jurer de ne rien dire sous la torture ou sous la menace de voir exécuter sa femme et sa fille ?

Francis, son petit-fils, refusa d'avouer son jeune âge à Trumeau. Se vieillissant de deux ans, il n'eut de cesse de s'engager dans une section de raid. Il s'exerça comme un forcené au maniement des armes et à la manipulation des explosifs. Dès son premier coup de main, il se révéla le plus enragé des combattants, habile, téméraire, tireur infaillible.

Flora épaula, du mieux qu'elle put, le vieux praticien, lui faisant raconter son existence, parler de son entourage, évoquer ses malades. Il appartenait à une famille de la petite bourgeoisie juive. Ils formaient, sa femme et lui, le plus uni des ménages. Paris occupé, nombre de ses amis avaient multiplié les mises en garde, le pressant de se réfugier en « zone libre », voire de s'expatrier. Il haussait les épaules. À son âge, parisien depuis des générations, ancien combattant de Verdun, ne comptant à son foyer que des femmes et un adolescent, il avait estimé ne rien risquer. Persuadé que les dispositions des lois raciales et que l'obligation du port de l'étoile jaune ne le concernaient pas, il n'avait rien changé à son mode de vie. Il se repentait de s'être montré aussi naïf.

Après le débarquement franco-américain en Provence, Trumeau se déchaîna. Reculant les bornes de la témérité, il multiplia ses raids. Francis était de toutes les sorties.

Le 26 août 1944, embusqués dans les bois dominant une route en déblais, ses maquisards attaquent, en plein jour, une file de camions allemands bourrés de fantassins. À coups de grenades incendiaires et de pains de dynamite ficelés dans des mèches allumées, ils anéantissent le convoi, achevant le carnage au fusil-mitrailleur. Une trentaine de soldats sautent des derniers véhicules, jettent leurs armes, lèvent les bras.

Les groupes de raid perdent dans l'affaire six tués et quatre blessés. Trumeau a reçu une balle dans la main. Le dernier coup de feu tiré, il rameute ses hommes et leurs prisonniers. On entrelace des branchages pour « brancarder » les blessés et les morts. De couvert en couvert, les sections se replient au pas de course.

Le vent souffle de l'ouest. Au camp, on a entendu les détonations des explosifs et le crépitement de la fusillade. Le combat n'avait pas dû se dérouler bien loin. Tout le monde est sur le qui-vive, dans l'attente des ordres du patron.

Les maquisards rallièrent le camp au milieu de la nuit. Trumeau redoutait une réaction rapide de l'adversaire. Il décrète l'alerte générale, dépêche les sections de protection au bas des « arêtes » avec mission de lancer des fusées pour jalonner la progression éventuelle de l'ennemi. Il choisirait alors les cheminements que suivraient les pensionnaires des gîtes pour gagner de nouveaux abris. Les groupes de raid formeraient une arrière-garde forte de toute leur puissance de feu.

Il convenait d'inhumer les morts. Les prisonniers reçurent l'ordre de creuser six tombes alignées avec le plus grand soin et de confectionner autant de croix de bois. En l'absence de cercueils, les dépouilles seraient ensevelies dans des bâches imperméables. On relèverait sur un registre les noms des tués et l'emplacement de leurs sépultures. Tout devait être prêt dans l'heure.

Dans une formation impeccable, les maquisards présentent les armes. Sous la voûte étoilée du ciel, « *Le Chant des Partisans* » prend naissance dans un souffle presque imperceptible, s'affirme en un murmure à bouche fermée. Dans un lent crescendo, les lèvres s'entrouvrent pour laisser s'épanouir ces paroles venues du tréfonds des âmes, des esprits et des cœurs, que le chant sublime va lancer par-delà la cime des arbres. Des formes indistinctes traversent l'espace, s'évanouissent dans l'irréel. Le volume des voix s'amenuise dans des bouches qui se referment, dans un soupir qui se meurt.

C'est la première fois que Flora écoute cet hymne. L'émotion l'étouffe. Son être chavire dans les abîmes du sacré, ce frère de lait du sacrifice.

Obnubilés par le souci d'échapper à la tenaille dont les menace la jonction prochaine des forces alliées débarquées en Normandie et en Provence, les Allemands foncent vers le nord. Ils ne perdront pas leur temps à rechercher Trumeau.

À la mi-septembre, le département est libéré. L'atmosphère du camp se transforme. Les uns veulent, à tout prix, rejoindre sans délai les armées alliées, d'autres souhaitent attendre les instructions des autorités qui se mettent en place.

Un soir, un représentant de Londres vient, enfin, inspecter le maquis. Il prescrit à Trumeau d'aller cantonner dans les villages voisins. Son unité sera embrigadée dans la division que va créer la nouvelle région militaire. Des directives ultérieures lui indiqueront les zones de regroupement.

Trumeau écume. Le lendemain matin, il ordonne un rassemblement général. Désireux de se conformer aux instructions qu'il vient de recevoir, il laisse là les pensionnaires de son hôtellerie. La future division régionale trouvera, parmi eux, de précieuses recrues. Quant à lui, il va rallier Leclerc ou de Lattre. Il entend poursuivre la lutte jusqu'à la capitulation des Allemands. Il n'oblige personne à le suivre. Cependant, les hommes des groupes de combat qui voudraient l'accompagner n'ont qu'à sortir du rang. Francis est le premier à venir se placer derrière lui. Tous les maquisards emboîtent le pas. Flora le supplie de l'emmener. Il lui rit au nez.

La colonne se mit en marche à midi. Trumeau, le bras en écharpe, en tête. Les prisonniers allemands brouettent les sacs de vivres et les caisses de munitions.

XV

Après le départ de Trumeau, les laissés-pour-compte du maquis s'éparpillèrent. Flora, le grand-père de Francis, cinq autres personnes, dont un professeur de lettres du lycée Henri IV, l'ultime réfugié, parvenu en juillet au maquis, regagnèrent Paris.

La Gestapo est venue perquisitionner rue Saint-Sulpice. Tout a disparu : la collection des « Penguin Books », les cours, les notes, les fichiers. Le travail de plusieurs années est anéanti. Flora ne se console pas de la perte de la lettre de Max Jacob et des copies des inédits du « Magnifique ».

Au ministère de l'Éducation, elle comprit vite que, tant que les prisonniers ne seraient pas revenus, elle ne se verrait offrir que des postes intérimaires. En outre, des problèmes d'épuration se posent. Elle devra répondre à un questionnaire, en précisant en détail la nature de ses occupations depuis le jour où elle a quitté le lycée de jeunes filles d'Amiens, sans laisser d'adresse. On la convoquera plus tard.

Au Châtelet, une gardienne la reconnut et lui permit de pénétrer dans le magasin des costumes. Elle lui apprit l'arrestation de Monsieur Raymond par les Allemands, en juillet 44. On ne savait ce qu'il était devenu. Soigneusement nettoyées, ses robes de nonne sont suspendues dans le même recoin. Ces défroques, désormais sans objet, rendent Flora songeuse.

Elle se sent aussi inutile qu'elles. Toutes sortes de sentiments tourbillonnent dans sa tête : le découragement causé par la perte des documents destinés à étayer sa thèse, l'atteinte à son amour-propre infligée par le refus de Trumeau de l'emmener avec lui, l'indignation soulevée par l'arrestation des proches du vieux médecin juif.

Elle décide alors de s'engager. Elle s'enquiert des démarches préalables à son admission dans les formations féminines de l'armée de terre. On l'aiguille sur un bureau de recrutement ouvert dans l'un des bastions des boulevards extérieurs. Un sous-officier lui demande de signer un acte d'engagement provisoire. Il lui en remet un duplicata valant titre de transport et sauf-conduit.

À la Toussaint, Flora rejoignit la 1re Armée à Besançon. Trois camions « GMC » étaient venus chercher, à la caserne de Reuilly à Paris, le groupe d'engagés volontaires dont elle faisait partie. Seule femme, on la plaça sur le siège droit de la cabine avant du premier véhicule. Les quatre cents kilomètres du parcours avaient demandé six bonnes heures. Elle avait admiré la nervosité et la souplesse de ce camion à dix roues, capable de passer, en se jouant, les pires fondrières.

À la halte de la mi-journée, le chauffeur marocain lui avait fait partager son paquet de rations américaines, lui montrant comment réchauffer, sur un godet d'essence enflammée, la boîte de conserve de viande hachée et de légumes. Elle fit ainsi connaissance avec la saveur douceâtre de ces fameux « beans », qui allaient devenir, pour plusieurs mois, le principal élément de son ordinaire.

À Besançon, « la » capitaine qui la reçoit, lui recommande, en guise d'entrée en matière, de ne pas se faire une idée trop romantique de la vie d'une femme dans une armée en opérations et lui souligne la nécessité d'une rigoureuse observation des règlements. Elle s'empresse d'ajouter que les fatigues du service lui éviteront de consacrer ses rares instants de repos à s'interroger sur la philosophie de la discipline militaire.

À l'énoncé des titres universitaires de Flora, « la » capitaine avoue son embarras. Elle ne peut décemment lui offrir que des postes de secrétariat ou d'interprétariat dans des états-majors importants, à moins qu'elle n'accepte d'être enrôlée dans le service social de la 1re Armée.

Aucune de ces perspectives n'enchante Flora. Elle prie son interlocutrice de lui énumérer les divers emplois susceptibles d'être confiés aux auxiliaires féminines. La description des responsabilités d'une conductrice ambulancière accroche son attention. L'apprentissage de la conduite et des dépannages de leurs gazogènes que lui avait imposé Alphonse Madec, son sens de l'orientation sur les chemins secondaires, l'amènent à prétendre qu'elle possède l'aptitude requise pour exercer cette fonction. L'officier féminin compulse ses états d'effectifs. Le bataillon médical d'une division marocaine accuse un déficit de deux aides-conductrices ; son affectation est prononcée séance tenante. Elle est dispensée de la période de formation préalable. Elle fera ses classes dans son unité.

Une « Jeep » conduit Flora au magasin d'habillement de l'intendance. On lui confectionne, en un tournemain, un paquetage à ses mesures. La richesse des collections fournies par les services américains la sidère. La souplesse des étoffes de laine et de coton, la coupe des effets, l'élégance de la tenue de sortie, la commodité de l'équipement de combat l'émerveillent.

Elle passe sa soirée à essayer et à réessayer ses nouveaux vêtements. Elle déchaîne l'hilarité de la chambrée, en jouant la présentatrice de la mode militaire féminine pour la saison d'hiver 1944-45. La conductrice de la « Jeep » qui l'a pilotée dans Besançon mène le ban des applaudissements.

Les anciennes du bataillon médical n'accueillirent Flora qu'avec une courtoise indifférence. Elle devrait faire ses preuves avant d'être adoptée.

Les ambulances sont des « Dodge » à quatre roues, hautes sur pattes. Leur carrosserie peinte, d'un kaki tirant sur le vert, porte sur ses flancs, à l'arrière et sur son toit une large croix rouge inscrite dans un disque blanc. Tout au long de sa première semaine, Flora effectue les exercices prévus au programme d'une sorte d'auto-école. Elle recommence vingt fois des départs en côte sur des terrains glissants et des demi-tours sur des pistes en pente, à peine plus larges que la longueur de l'ambulance. Elle apprend à se désembourber, en glissant sous ses roues des rectangles de tôle perforée. On lui révèle les artifices, plus ou moins licites, propres à démarrer, par temps froid, un moteur rétif. Les séances d'entraînement se clôturent en parcourant de nuit, tous feux éteints, plusieurs kilomètres, en suivant la faible lueur d'un fanal accroché à l'arrière d'une « Jeep ».

On lui fait étudier l'organisation de la division dont fait partie son bataillon, apprendre par cœur les noms de code des unités qui la composent ainsi que la signification des symboles utilisés par le train des équipages pour flécher les itinéraires.

Le rôle des ambulancières consistait à transporter les blessés, des postes de secours avancés des bataillons en ligne, aux antennes chirurgicales situées en retrait de la portée de l'artillerie adverse.

Les conditions atmosphériques hivernales rendaient la conduite des « Dodge » exténuante et dangereuse. Les trajets à la nuit tombante, le verglas, les brouillards étaient pour les conductrices autant de cauchemars.

Pour Flora, les combats des Vosges et de la Haute-Alsace, la percée vers Belfort, la prise de Mulhouse, la bataille pour Colmar ne représentèrent qu'une course démentielle enrobée dans un halo de fatigue oblitérant sa conscience du temps. Ses actes, ses gestes s'étaient mués en réflexes, à la limite de la lucidité et de l'inconscience. Une seule préoccupation, à vrai dire une obsession, l'habitait : trouver un coin pour dormir, au moindre instant de répit.

Un matin de décembre, il lui arriva d'être prise sous une salve de fusants coiffant sa route. Sans réfléchir, elle accéléra à mort et fut assez chanceuse pour traverser les éclats, sans autre dommage que quelques déchirures des tôles de la carrosserie. Aucun de ses blessés n'avait été touché.

Elle mesurait, aux regards et aux sourires des hommes que l'on embarquait dans son véhicule, tout ce qu'une présence féminine peut avoir de consolant et de rassurant. Sa volonté innée lui évitait de vomir à la vue d'horribles blessures mal dissimulées par des pansements de fortune.

C'étaient parfois des moribonds que les infirmiers de l'avant enfournaient dans sa voiture. Un soir, un grand lieutenant des cuirassiers, la mâchoire inférieure arrachée, lui glissa dans la main une boulette de papier quadrillé. En reprenant le volant, Flora la déplia. Sous l'adresse d'une femme inscrite au crayon, une écriture saccadée priait de dire à une Isabelle qu'elle était pardonnée et qu'elle pourrait reprendre les enfants. Pendant le trajet, Flora s'essaya à composer de tête la lettre qu'elle adresserait, dès le lendemain matin, à la destinataire. Elle aurait souhaité connaître le lien qui unissait l'officier à cette personne : mère, sœur, belle-sœur, amie... ? La mort enleva le grand lieutenant avant son arrivée à l'antenne chirurgicale.

Flora n'aurait pu trouver, en elle seule, les ressources qui lui permirent de vivre, sans craquer, une telle succession de jours hallucinants. En s'interrogeant sur les raisons de cette surprenante endurance, elle en attribua le mérite à l'ambiance dans laquelle ses camarades et elle évoluaient.

L'ensemble des combattants de la 1re Armée soutenaient un rythme insensé. Les impulsions exacerbées de la formidable personnalité du général de Lattre imprimèrent l'élan initial, mais jamais cette cadence effarante n'aurait pu être entretenue si la totalité des grandes unités ne l'avait acceptée.

Le désir effréné d'une revanche professionnelle sur les vainqueurs de 40, l'émulation suscitée par la course en avant que l'on ne cessait de disputer avec l'armée américaine jumelle, la griserie de l'accueil des villes délivrées auraient suffi à expliquer le maintien de ce régime échevelé.

Flora estimait qu'il convenait de pousser plus loin la recherche. Des causes moins conscientes, donc d'autant plus profondes, sous-tendaient le tonus du moral de la 1re Armée. L'existence des camps de déportation nazis connue de certains était subodorée par nombre d'autres. Même si l'on ne pouvait imaginer les effroyables conditions imposées aux captifs, chacun pressentait la lutte de vitesse qu'il s'agissait de mener contre la mort ; chaque jour gagné permettait, à coup sûr, de sauver des vies humaines. En revanche, on n'accordait pas grand crédit aux rodomontades de Goebbels promettant l'apocalypse des armes nouvelles aux ennemis du IIIe Reich. Il n'empêchait que l'ampleur de l'offensive des Ardennes du mois de décembre, l'acharnement que mettaient les Allemands à se défendre en Alsace, donnaient à réfléchir. On se sentait entraîné dans une course contre la montre.

La 1re Armée, emportée par son rythme, subissait également des rites. On était, certes, sensible à leur style, mais l'on n'en ressentait pas moins le surcroît de fatigue occasionné par les trajets supplémentaires, les lavages minutieux des véhicules et des blindés, les heures d'attente qu'imposaient les prises d'armes du lendemain d'une bataille. L'indéniable grandeur du spectacle, l'ascèse du cérémonial donnaient aux hommes, au coude à coude, conscience de la force émanant de la cohésion d'une grande unité.

Ce style, voulu par de Lattre, influait sur le comportement des combattants. Il les incitait à maintenir la fierté de leur allure et à ne jamais relâcher leurs efforts. Il les aidait à supporter le rythme dévorant de leur vie.

La témérité de ces hommes était déconcertante. Ils ne s'exposaient point, par gloriole, au danger, mais ils prenaient d'incroyables risques pour tirer le parti le plus efficace du matériel américain dont ils étaient dotés. La liste des pertes subies par les fantassins et les équipages des blindés s'allongeait au fil des jours. La cadence accélérée du va-et-vient des ambulances en mesurait l'aune, mais les succès ne se ralentissaient pas.

En février 1945, Colmar libérée, le bataillon médical de Flora bénéficia d'un répit. À l'issue d'une remise de décorations à Guebwiller, elle tomba sur Trumeau, plus bouillant que jamais. De Lattre venait d'épingler sur son « battle-dress » la croix de chevalier de la Légion d'honneur ; trois mois auparavant, il l'avait promu lieutenant-colonel et lui avait confié le commandement du bataillon de chasseurs portés auquel ses maquisards s'étaient amalgamés.

Stupéfait d'apprendre que Flora était ambulancière, il lui déclara qu'il ne se consolerait jamais de ne pas l'avoir emmenée avec lui. Trumeau lui fit part d'une triste nouvelle. Francis avait été tué huit jours auparavant. Lors d'une contre-attaque blindée allemande, après avoir laissé passer les premiers chars, deux de ses camarades et lui avaient quitté leur trou pour tirer les suivants au bazooka. Ils firent un beau carton en incendiant deux « Panther ». Ils n'eurent point le temps de regagner leur abri. Les fusiliers accrochés aux blindés de la seconde vague les mitraillèrent ; les chenilles des chars laminèrent les trois corps sur la neige.

Flora rechercha la villa où était installée la mission de liaison britannique auprès de la 1re Armée. Un wing-commander de la R. A. F., l'œil droit oblitéré par un disque de cuir noir, la reçut. Elle lui demanda, à tout hasard, s'il lui serait possible d'obtenir des nouvelles des pilotes dont elle avait facilité l'évasion. Elle connaît leurs noms par cœur.

L'officier la pria de l'excuser quelques instants. Il revint au bout d'un moment et l'introduisit dans le bureau du chef de mission. Le général anglais lui promit de lui procurer les renseignements qu'elle désirait et la garda à dîner. Elle lui conta ses aventures. Il l'assura, qu'après la victoire, elle serait invitée à Londres, pour la célébrer avec les survivants de ses « orphelins ».

Dix jours plus tard, elle reçut un état concernant ses évadés. Douze d'entre eux avaient été tués en combat aérien, deux autres étaient portés disparus, cinq faits prisonniers. Après une enquête sulfureuse, le commodore avait été contraint de démissionner de la marine royale.

Flora hésita un long moment à déplier la liste des morts et des disparus. Le nom de John Lelièvre figurait en tête du papier. Il avait été abattu au large de Douvres, quelques jours seulement après son retour en Grande-Bretagne. Elle se mordit les lèvres jusqu'au sang. Elle ne dormit pas de la nuit.

Le Rhin fut traversé en mars. La course harassante reprit de plus belle. Les Allemands continuaient de se battre, avec autant de méthode, de détermination et de courage. Vers le milieu d'avril, les combats prirent un caractère plus sporadique. Les formations de la Wehrmacht se démantibulaient et l'on traversait des villages constellés de drapeaux blancs.

Au début du mois de mai, le bataillon médical cantonna à Bregenz, à l'extrémité du lac de Constance. C'est là que Flora et ses camarades fêtèrent l'armistice, autour d'un énorme méchoui préparé par les tirailleurs marocains.

XVI

Le 11 mai 1945, à Lindau, l'un des aides de camp prend sur lui d'introduire dans le bureau du général de Lattre un personnage au crâne rasé, maigre à faire peur, flottant dans un imperméable passé sur un pyjama de toile rayée. De Lattre converse avec François Mauriac, leur entretien s'interrompt.

Le visiteur arrive en droite ligne de Dachau. Délivré le 29 avril par les Américains de Patton, le camp subit une rigoureuse quarantaine ; le typhus sévit dans les baraquements.

L'homme a réussi à franchir le cordon sanitaire et à gagner Lindau. Mandaté par les déportés français, il ne veut avoir affaire qu'au commandant en chef de la 1re Armée pour lui décrire leur situation et le convaincre de l'urgence de les tirer de là.

Dans l'instant, de Lattre décroche le téléphone pour appeler Patton. Il lui fait part de son inquiétude et le remercie à l'avance des ordres qu'il voudra bien donner pour organiser, dans les plus brefs délais, le transfert des Français de Dachau dans la zone de la 1re Armée. Il lui annonce qu'il dépêche auprès de lui un médecin, membre de son cabinet.

Il prescrit, dans le même temps, au général commandant l'artillerie d'assurer l'accueil des déportés et enjoint au service de santé de constituer « avant tout de suite » des équipes médicales, pour les diriger sur Dachau où elles devront opérer le partage entre les rescapés susceptibles d'être, dès à présent, mis en route, et ceux qui ne pourront s'embarquer, que plus tard, dans les camions.

Le bataillon de Flora reçut l'ordre de mettre sur pied un détachement de médecins, d'infirmiers et d'ambulancières et de le faire partir vers le camp. Elle fut du lot.

Là bas, la confusion régnait. Des distributions inconsidérées de vivres avaient causé de nombreux décès. Des organismes soumis, depuis des mois et des mois, à d'abominables privations ne purent supporter l'ingestion précipitée de nourritures trop riches et trop abondantes.

Les déportés les plus valides se sont installés dans la caserne adjacente des SS, tandis que les Américains bouclaient les gardes-chiourme nazis à l'intérieur de l'enceinte grillagée. Les typhiques demeurent consignés dans les locaux avoisinant l'infirmerie. À quelques rangées de là, deux baraquements abritent les moribonds. On ne peut plus rien pour eux, sinon humecter leurs lèvres d'un peu d'eau. Ils ont franchi le seuil irréversible d'une dénutrition mortelle.

Flora se demande comment elle a réussi à ne pas s'évanouir en pénétrant dans ces lieux. Les agonisants sont allongés sur des lits de camp. Hormis les globes oculaires qui suivent sa marche, les corps squelettiques ne bougent plus. Les vers de *La Dame à la faulx* torturent ses sens :

Un fouillis d'yeux d'où gicle un reste de regard.

Elle pense au « Magnifique », à la vision qui l'avait amené à pressentir l'horreur irréelle du spectacle qu'elle découvre.

Les dernières lueurs de leur vie se concentraient dans les pupilles de ces êtres, avivées, peut-être, par la folle attente du miracle qui les sauverait, plus probablement, par le regret désespéré de la survenance trop tardive des libérateurs. Flora modère son pas. Elle tente de donner à chacun des mourants le témoignage de la compassion dans laquelle elle sombre. Elle retient les pleurs qui l'aveuglent, refrène les sanglots qui l'étouffent. Elle ne doit leur laisser percevoir que la tendresse et la douceur d'un sourire féminin.

Il lui semble que l'une de ces paires d'yeux vient de lui adresser un signe lui intimant l'ordre de s'arrêter. Elle revient en arrière, vers un front plus haut, un nez plus mince fendu à mi-arête, une bouche oblique. Elle a devant elle le colonel de Meudon.

Elle s'agenouille, pose la main sur son épaule, tente de le rassurer. Ses yeux font un lent mouvement d'acquiescement, comme s'ils voulaient la remercier de sa présence, puis de dénégation pour signifier que, pour lui, tout était consommé. Quelques instants plus tard, les deux globes se figent dans une atone immobilité. Elle défait les boutons de la veste rayée. Sa main rencontre le tragique relief d'une ossature décharnée. Les tressauts du cœur s'espacent, s'évanouissent. Elle lui ferme les yeux, presse ses lèvres sur son front, laisse couler quelques larmes sur ce visage inanimé.

Entre Lindau et Dachau, instructions et comptes-rendus se croisent fébrilement. On laissera au camp des volontaires pour assister les mourants et pour soigner les contagieux encore intransportables. On aménagera hôtels et villas dans les îles du lac de Constance pour accueillir les typhiques capables de supporter un transfert. Hôtels et sanatoria de la Forêt-Noire seront réquisitionnés pour recevoir les non contagieux, trop faibles encore pour être immédiatement rapatriés ; un régime alimentaire progressif leur fera retrouver leurs forces sans risque d'accident. Enfin, les « GMC » transporteront aux gares de Bâle et de Strasbourg les déportés dont l'état physique autorisera le retour en France.

Flora et l'un des médecins du détachement obtinrent de prolonger leur séjour dans le camp. Ils n'y demeurèrent pas longtemps. La mort faisait rapidement son œuvre. Nombre de typhiques et de phtisiques, d'agonisants dësséchés par la faim, brisés par les sévices, succombèrent dans les jours qui suivirent. Requis par les Américains, les paysans des alentours assuraient les inhumations.

Flora et le médecin rejoignirent dans l'une des îles du lac, une équipe chargée de soigner les contagieux. Ils luttèrent nuit et jour contre le mal, réussissant à ramener à la vie bon nombre de leurs patients.

Sous l'empire d'une irrémissible tension, Flora finit par acquérir une sorte de don de double vue. Lorsque la mort menaçait l'un de ses malades, une angoisse subite la précipitait à son chevet. Elle ne le lâchait plus. Elle eut le bonheur d'en « rattraper » plusieurs.

Trois mois : mai, juin, juillet, s'écoulèrent ainsi.

XVII

Au début d'août 45, les derniers convalescents quittèrent les îles du lac de Constance. Flora est au bord de la dépression. Vivant sur ses nerfs, elle a bravé les risques de contagion, accumulé les nuits blanches au chevet des agonisants.

Elle a connu un seul répit, le 22 juin, lors de la visite du sultan Muhammad V aux unités marocaines de la 1re Armée.

Elle devait cette coupure à Trumeau. Il avait pris contact avec son bataillon médical pour retrouver sa trace. Il apprit, à cette occasion, qu'elle n'avait jamais fait l'objet d'une proposition de décoration. Il s'en ouvrit au général de Lattre. Une Croix de guerre avec palmes lui fut immédiatement attribuée. Trumeau la lui remit à Lindau, le 21 juin, sur le front de la compagnie des maquisards insérée dans le bataillon porté dont il avait toujours le commandement.

Trumeau, les officiers, les sous-officiers et les hommes de cette compagnie d'honneur, la fêtèrent dans la soirée au cours d'un mémorable barbecue. Elle eut du mal à éclaircir sa voix pour répondre aux félicitations de Trumeau, lui rappeler la Bourgogne et lui redire son affection. La mort de Francis la hantait toujours.

Il lui fallait rejoindre Mainau le lendemain. Elle se débrouilla pour monter à bord de l'un des bateaux de tourisme du lac, réquisitionné et rebaptisé : *Rhin et Danube.* Il devait appareiller à midi pour gagner Constance où il embarquerait le sultan et sa suite, le général de Lattre et ses invités au nombre desquels figurerait une délégation de jeunes Alsaciennes revêtues de leur costume traditionnel. Il reviendrait ensuite à Lindau où se déroulerait une revue des divisions marocaines suivie d'une remise de décorations, d'un défilé et d'un dîner d'apparat.

Flora s'est assise à l'avant, contre la paroi extérieure du grand salon vitré. Dans une belle lumière, une brise tiède fait jouer les pavillons multicolores du grand pavois*. Sur sa droite, très proches, défilent les

* Guirlande des pavillons de signaux tendus de l'extrême avant du navire à son extrême arrière en passant par le haut des mâts.

collines vertes du Wurtemberg. Sur sa gauche, dans les lointains, culminent les sommets enneigés du nord de la Suisse.

Elle se détend, décontracte ses épaules et ses bras, s'abandonne à la beauté du panorama offert à ses yeux, à la douceur de l'air effleurant les contours de son visage.

Dans le salon, des arabesques se sont mises à courir sur un piano, des vocalises s'élèvent. Curieuse, Flora quitte son siège, pénètre à l'intérieur, découvre les musiciens. Vêtu d'un costume gris, défraîchi, froissé, un personnage de petite taille, à moitié chauve, échauffe ses doigts sur le clavier d'un immense Steinway. Il se lève de son tabouret, se dirige en boitillant vers Flora. Il la salue très bas, la prend par la main pour aller la présenter à une créature de rêve.

Une Allemande, d'une beauté extraordinaire, d'un maintien souverain, grande, mince, la figure et les bras brunis par le soleil, lui sourit en inclinant légèrement la tête.

Elle ne se nomme pas, elle lui indique qu'au retour du bateau à Lindau, elle chantera devant le sultan du Maroc et le général de Lattre. Elle lui demande les fonctions qu'elle exerce, la nature des études qu'elle a poursuivies. Flora mentionne sa qualité d'ambulancière, l'École de danse de l'Opéra de Paris, le Conservatoire d'Art dramatique, son agrégation d'anglais.

La cantatrice n'a pas encore arrêté le programme de son récital. Des livres de petit format : airs de Mozart, lieder de Schubert et de Schumann parsèment le couvercle du piano. Ils rassemblent l'essentiel de son répertoire. Elle demande à Flora de l'aider à choisir ce qu'elle présentera à son public. Elles feuillettent ensemble les carnets. Flora a un faible pour Mozart et Schubert, la jeune femme souhaite réserver à Schumann une place importante.

Le protocole a fixé à trois quarts-d'heure la durée du récital. Le pianiste a depuis longtemps noté en tête de chacune des pièces des livrets le nombre de minutes de son exécution. Il se lance dans une série d'additions et propose deux ou trois modifications au premier tri. La composition du récital est enfin mise au point.

Il n'existe aucune possibilité d'en faire imprimer le programme. La chanteuse annoncera, elle-même, en français, en anglais et dans sa langue maternelle, les titres des lieder et les noms des auteurs de leur musique et de leurs paroles.

La visiteuse est invitée à assister à la répétition. L'accompagnateur la prie de vérifier soigneusement la durée du concert. Il lui confie son chronomètre.

La cantatrice est une extraordinaire « coloratur ». La tessiture de sa voix est, sans doute, unique au monde. Nulle vibration ne vient entacher la clarté de son chant. La perfection de ses nuances, de ses rythmes, de ses respirations dénote une incomparable musicienne. L'articulation de son verbe, douce ou plus âpre, tendre ou impérative, heureuse ou nostalgique insère sûrement, dans ses paroles et dans sa manière de les chanter, les intentions profondes de leurs créateurs.

Le pianiste a l'art de l'accompagner sans jamais couvrir sa voix, tout en sachant conserver à la sonorité du Steinway une intensité suffisante pour soutenir la mélodie.

Le ciel s'est ouvert. Subjuguée par la mobilité du décor extérieur, la fuite des rivages, les frémissements colorés des pavillons du grand pavois, envoûtée par la magie d'un indicible lyrisme, Flora se sent enserrée par les mânes de Schumann, de Schubert et de Mozart. Elle ne met pas un instant en doute la réalité de leur présence.

La cantatrice vient d'achever le dernier des « bis » qu'elle a préparés la veille. Surprise par le silence, Flora revient à elle, applaudit de tout son cœur. Elle s'aperçoit, à sa grande confusion, que conquise par cette féerie musicale, elle a totalement oublié de chronométrer les phases de la répétition. Elle prie le pianiste de bien vouloir l'excuser de sa négligence. La grande jeune femme s'empare d'elle, la remercie de s'être laissée prendre par ses lieder, l'embrasse et la quitte.

Ces jours de répit, la fierté de sa Croix de guerre, le bonheur d'avoir retrouvé Trumeau et ses maquisards, l'émerveillement de la répétition du récital ont atténué les obsessions de Flora. Moins d'une semaine après son retour dans l'île, elles se sont remises à la tourmenter. Les visions insoutenables de son arrivée à Dachau habitent toujours son être. Il lui est impossible de les chasser. Au fur et à mesure que les jours s'écoulent, elle éprouve de plus en plus de mal à maîtriser son humeur, à contrôler ses gestes. Elle y parvient cependant, mais lors de la fermeture, le 6 août, de l'hôpital de Mainau, une certitude l'encapuchonne. Il est impératif qu'elle retrouve une paix intérieure, dans le calme d'un décor intemporel lavé de toute angoisse, préservé de toute contrainte.

Elle apprit que le service social de l'armée disposait de plusieurs centres de repos en Forêt-Noire. Elle se procura leurs adresses, s'enquit de leur environnement. Elle choisit le plus isolé, s'inscrivit pour un séjour de trois semaines.

Le médecin-capitaine de réserve Hubert Jacquin avec qui elle avait fait équipe depuis Dachau s'offrit à la conduire en « Jeep » jusque là-haut. Il filerait ensuite vers Strasbourg prendre le train de nuit pour Paris d'où il rejoindrait sa famille à Poitiers.

Tout en le remerciant de lui éviter ainsi soucis et fatigue, Flora fit quelques manières en manifestant sa crainte de le mettre en retard. Il la rassura, le détour ne rallongerait son trajet que d'une trentaine de kilomètres. En prenant la route le lendemain 7 août en début de matinée, il la mènerait à bon port vers midi. Ils auraient largement le temps de déjeuner ensemble avant de se séparer.

Flora s'étonne de la lenteur avec laquelle roule son conducteur. Au bout d'une heure, il s'arrête un bon moment, repart, multiplie les haltes. Il finit par lui avouer qu'il souffre de vertiges. La veille, il se sentait en bonne forme, mais ce matin il n'est pas dans son assiette. Ces derniers temps, lui comme elle, ont pris sur eux au-delà du raisonnable.

Flora lui réclame la carte routière et lui propose de conduire. Il proteste quelques instants, bat en retraite, se rend. Elle n'a jamais piloté une « Jeep ». En moins d'un quart d'heure, elle jongle avec le volant : jeu d'enfant que cette voiture au regard des « Dodge » si lourds et si encombrants. Le docteur Jacquin somnole, elle l'oblige à s'attacher sur son siège.

Ils n'arrivent au centre qu'à une heure et demie. Le service du déjeuner doit être achevé. Flora prend les choses en main. Elle prie son médecin de l'attendre dans la voiture, pénètre dans le hall de l'établissement (un hôtel superbe), entreprend le gérant. Elle vérifie l'enregistrement de sa réservation, lui indique d'où elle vient. Il l'interrompt, pour se présenter. Elle ne peut mieux tomber. Elle a affaire à un vieil adjudant-chef d'un service administratif qui avait suivi jusqu'au bout de Lattre dans son équipée de novembre 1942.* Le général

---

* *Le 11 novembre 1942, la Wehrmacht franchit la ligne de démarcation séparant la zone occupée de la zone dite « libre ». Le général de Lattre commandant la division militaire de Montpellier*

l'avait récupéré en 44 pour l'affecter au service social de la 1re Armée. Le 14 mai dernier, il lui confiait personnellement la direction de ce centre de repos destiné à recevoir les déportés non contagieux qu'il s'agissait de « remonter » et à héberger, conformément à ses ordres impératifs, les personnes de leurs familles qui désiraient venir les entourer.

Flora lui expose ses problèmes immédiats. Elle le met au courant du mauvais état de santé du médecin qui l'accompagne. Ce serait folie de le laisser continuer son voyage. Il convient de lui trouver un lit pour la nuit. Elle souhaite que l'on monte rapidement leurs bagages dans leurs chambres respectives. Elle se charge d'aller garer elle-même la « Jeep » à l'endroit voulu. Serait-il possible, malgré leur retard, de leur improviser un déjeuner ?

Le gérant se permit une suggestion. Pourquoi le docteur Jacquin ne consentirait-il pas à se reposer ici, au bon air de la forêt environnante, pendant deux ou trois semaines ? Si sa famille souhaitait le rejoindre, elle serait la bienvenue au centre.

Dix minutes plus tard, Flora et son médecin étaient assis l'un en face de l'autre dans la salle à manger. Elle s'entretint de la suggestion du gérant. Il n'y était pas opposé. Il reconnaît qu'il lui est nécessaire de dételer. D'autre part, les lettres de sa femme déplorent la persistance des restrictions alimentaires. Leurs trois filles arborent des mines de papier mâché. Le régime culinaire du centre, si l'on en jugeait par le menu qui venait de leur être proposé, permettrait aux enfants de retrouver de bonnes joues. Il téléphonera tout à l'heure à son épouse pour la décider à entreprendre le voyage.

À Mainau, les relations du médecin et de l'ambulancière avaient conservé un caractère strictement professionnel. Leur déjeuner en tête à tête semble le détendre. Flora lui avoue que les mois passés dans l'île ont, jour après jour, fortifié l'admiration qu'elle éprouvait pour son autorité, sa compétence et son sang-froid. Il lui retourna son compliment, l'assurant qu'il l'avait placée sur un piédestal et qu'il avait souvent chanté ses louanges dans ses lettres à sa femme.

---

tenta de regrouper autour de lui dans le massif des Corbières les forces placées sous ses ordres. Cette initiative fut mise en échec par Vichy. Condamné à dix ans de prison, il s'évadait de la maison d'arrêt de Riom le 3 septembre 1943 et gagnait Londres en octobre à bord d'un avion de la R.A.F., venu le chercher en Bourgogne. Le 20 décembre, il alla prendre à Alger le commandement de l'armée qui débarquera en Provence le 15 août 1944.

Le gérant s'est approché de leur table. Il leur annonce la nouvelle que la radio vient de diffuser : un bombardier américain a lancé, la veille, une bombe atomique sur la ville japonaise d'Hiroshima.

Ils se retrouvent au dîner. Jacquin a eu sa femme au téléphone. Il lui a indiqué les horaires des trains. Elle arrivera avec leurs trois filles le surlendemain à Strasbourg en fin d'après-midi. Une voiture du service de santé ira les chercher à la gare et les conduira au centre. Le beau soleil du lendemain matin les incite à explorer les sentiers forestiers des environs. Les senteurs des résineux, l'air pur les réconfortent.

Chemin faisant, ils se racontent. Il lui parle de son épouse Gilberte, intelligente, active, pas toujours commode ; il dépeint ses filles, Jeanne huit ans, Carole sept, Martine quatre.

Leur après-midi se passe à régler l'installation des nouveaux arrivants : réservation d'une table de six couverts dans un coin tranquille de la salle à manger, organisation du couchage des petites filles. Le centre offre le choix entre un dortoir ou la mise en place de lits pliants dans la chambre. Ils optent pour la seconde solution qui présente cependant une difficulté : pour des raisons d'encombrement, une chambre ne peut emménager que deux petits lits. Flora prendra, bien volontiers, chez elle, celui de Jeanne. Elle se propose de s'occuper des trois filles, si le médecin et sa femme désirent aller se promener de leur côté.

La nuit en chemin de fer de Poitiers à Paris, le trajet en métro de la gare d'Austerlitz à la gare de l'Est ont dû fatiguer les voyageuses. Au dîner, les filles grognent et Gilberte Jacquin se montre à peine aimable envers Flora, critiquant entre ses dents la présence des femmes dans l'armée et marmonnant qu'il devait s'en passer de belles entre les officiers et les personnels féminins. Crise de jalousie, diagnostique Flora, sans s'émouvoir outre mesure.

Le lendemain matin, Gilberte frappe à sa porte, elle profite du profond sommeil de Jeanne, pour lui exprimer sa confusion. Il a suffi à son mari de lui décrire le rôle des ambulancières dans les combats des Vosges et de Colmar, d'évoquer les enfers de Dachau et de Mainau, pour la convaincre de la stupidité de ses propos de la veille. Elle est touchée qu'elle veuille bien s'occuper de son aînée et souhaite qu'elles s'appellent désormais par leurs prénoms.

Flora passa une agréable quinzaine en compagnie des Jacquin.

XVIII

Dès son retour à Paris, Flora se rendit au ministère de l'Éducation pour examiner la liste des affectations disponibles. On lui proposa un poste de professeur d'anglais au lycée de garçons d'Asnières.

Elle se préoccupa ensuite de sa démobilisation. Pendant deux jours, on la promena de bureau en bureau avant qu'elle ne déniche enfin, aux Invalides, le service compétent.

Elle reprit contact avec l'homme d'affaires de son père, Maître Alain Ducros. Son fils aîné Pierre le secondait. Sans aucune nouvelle d'elle, ils avaient cru bien faire en laissant se cumuler les intérêts des sommes déposées en Suisse par George O'Brian sur le compte ouvert au nom de sa fille. Elle disposait ainsi d'un avoir considérable. Si elle le désirait, ils se chargeraient du rapatriement de ses revenus et de la régularisation de sa situation fiscale.

Elle alla voir plusieurs fois, rue de Monceau, le vieux docteur juif, admirable de foi et de stoïcisme. Il lui parla longuement de sa famille disparue. Celles qui avaient été arrêtées étaient mortes en déportation. Quelques rescapées de leur camp lui avaient rapporté leur courage ; il se doutait que leurs paroles de compassion voulaient, pour ne pas trop le peiner, atténuer l'atrocité des conditions de leur trépas.

Plusieurs camarades de Francis étaient venus le voir pour lui dire l'admiration qu'ils éprouvaient pour son fils, d'autres lui avaient écrit. Il lut à Flora le texte de la citation accompagnant la médaille militaire et la Croix de guerre avec palme décernées à Francis à titre posthume. Il lui fit lire la lettre de huit pages que Trumeau lui avait adressée.

Elle reçut, rue Saint-Sulpice, une enveloppe grand format émanant de l'ambassade d'Angleterre, contenant un carton gravé, orné des armoiries du Royaume-Uni, la priant d'assister le 18 septembre, à Londres, à la prise d'armes au cours de laquelle lui serait conférée la distinction reconnaissant l'aide exceptionnelle qu'elle avait apportée aux aviateurs de la Royal Air Force au cours des hostilités. Elle se reprit à trois fois pour tourner sa lettre d'acceptation et de remerciements.

Elle alla passer une semaine en Bretagne. À Camaret, elle retrouva sa logeuse égale à elle-même. Détruit l'année précédente par un bombardement aérien, le manoir Coecilian n'était plus qu'un amas de ruines. Les parents d'Yves avaient vieilli. Enfermés dans leur chagrin, ils ne disaient mot.

À Locquirec, Paul Abgrall l'a trouvée changée, amaigrie. Il lui concocte un régime à base d'huîtres et de crustacés pour la « remplumer ». Il l'emmène chez les cultivateurs de Lanmeur. « On s'ennuie maintenant qu'on n'a plus le passage des aviateurs dans la grange », lui déclarent-ils dans leur accent chantant. Ils évoquent la trempée magistrale administrée par Paul Abgrall au marin anglais. « Sûr, qu'il ne l'avait pas volée, celle-là ! » se moquent-ils. Tout le monde fit honneur au somptueux souper cuisiné par la fermière. Fameuses bolées de cidre, chaleureuses lampées de calva. À l'heure des « au-revoir », en embrassant Flora, l'hôtesse lui susurra à l'oreille que les Bretonnes, même si elles sont bavardes, et elle reconnaissait elle-même avoir la langue bien pendue, savaient clore leur bec quand il le fallait.

Alphonse Madec est mort d'une rupture d'anévrisme à la veille de la Libération. Fin 1943, la Gestapo à ses trousses, l'assureur morlaisien a profité d'une traversée du cotre de Paul pour gagner les Cornouailles.

Abgrall tire des plans pour agrandir son chantier. Le retour de la paix va relancer les commandes de bateaux de pêche.

C'est à Farnborough qu'un célèbre Air-Marshall remet à Flora les insignes de l'une des plus hautes distinctions de l'Empire britannique. Fort émue, elle ne saisit qu'à moitié les phrases élogieuses prononcées par le grand personnage. Un impressionnant défilé aérien succède à la cérémonie de la décoration. Il se clôt par de vertigineuses démonstrations d'acrobatie auxquelles participent les premiers chasseurs à réaction de la R.A.F.

Une surprise attendait Flora. Tous ses « orphelins » encore en vie s'étaient regroupés dans la salle du mess des officiers. Ils venaient de fonder le matin même la « Nun Nobody's Escaping Society », dont David Gordon, le premier de ses clients, avait été élu président à l'unanimité.

C'est à ce titre qu'il lui adresse une allocution. Flora le voit pour la première fois en tenue. Il est superbe avec son indescriptible moustache. Il monte sur une table et prend la parole.

Cette « Escaping Society » ne s'est pas formée pour vanter les mérites de « Nun Nobody », mais pour se constituer en tribunal par devant lequel elle devra répondre de tous les méfaits dont elle s'est rendue coupable. Richard Osborne est appelé à la barre. Il se plaint d'avoir été saisi par les poignets et par les chevilles et d'avoir été balancé par-dessus un mur pour se retrouver trois mètres en contre-bas dans un énorme tas de feuilles mortes. « Nun Nobody », l'index sur les lèvres, l'a aidé à se dégager, puis l'a bouclé jusqu'au lendemain soir dans une cabane à outils, non sans lui avoir confisqué ses cigarettes et son briquet. L'Australien Jack Lewis la rend responsable de l'apparition de ses premiers cheveux blancs. Inconfortablement étendu sur le plancher de la camionnette, il a cru sa dernière heure arrivée en entendant cette personne inconsciente demander son chemin à un poste de garde teuton et plaisanter pendant trois bonnes minutes avec le feldwebel, dans un effroyable sabir germano-frog.

Un pilote déplore le voisinage de ses narines avec la grille d'une cage à lapins. Il ne peut plus supporter que sa femme cuisine les civets dont elle raffole. En tandem, Bob Walcker et Larry Johnson lui reprochent de leur avoir fait ressentir le frisson de la mort en les obligeant à se coucher dans des cercueils où ils pouvaient à peine respirer. Enfin, Gordon lui-même l'inculpe de ne pas avoir empêché un docteur tout à fait maboul de panser les blessures de ses jambes avec des emplâtres de toiles d'araignées.

Commis d'office pour assurer sa défense, un mitrailleur de queue d'un bombardier « Halifax », sommelier de son état, réclame l'indulgence de la Cour. Un argument fondamental plaide en faveur de leur convoyeuse : l'excellence des cognacs, des eaux-de-vie, des pommards et des « Château-Margaux » qu'elle avait trouvé le moyen de leur procurer.

Après une inénarrable passe d'armes entre la défense et les accusateurs, Gordon reprend la parole. Flora retrouve la cocasserie du ton, les bégaiements archisnobs, l'humour assaisonnant la drôlerie d'un propos d'un zeste d'hilarante causticité. En acteur consommé, il ménage de savantes pauses pour permettre aux rires, aux acclamations et aux hurlements de joie de l'assistance d'exploser à pleines gorges.

Gordon conclut son discours par la lecture du verdict. Le tribunal condamne la « Nonne Personne » à comparaître tous les cinq ans devant la « Society » et ce jusqu'à la dissolution de celle-ci. Dans l'immédiat, elle est tenue de demeurer dix jours en Grande-Bretagne, cinq jours dans les Comtés, cinq jours à Londres.

Puis, d'un ton plus grave, Gordon cite Alphonse Madec. La « Society » regrette profondément la disparition de « Frère Personne » et rend hommage à son dévouement et à son héroïsme. Elle a pris les dispositions nécessaires pour qu'en ce moment même, un « squadron-leader » de la Royal Air Force dépose une gerbe de fleurs sur sa tombe à Morlaix. Une minute de silence est observée.

Gordon s'approche de Flora pour lui remettre un volumineux carton en forme de galette ronde. Son couvercle est orné de la cocarde des avions de la R.A.F. Le mitrailleur du « Halifax » l'aide à ouvrir cette boîte. Elle renferme un plateau d'argent massif, gravé en son centre d'une dédicace bouleversante, encadrée par les signatures, à la pointe sèche, de l'Air-Marshall qui venait de la décorer et de tous ses « orphelins » vivants. En bas, sur des lignes parallèles à celles de la dédicace, figurent les noms de ceux qui furent tués ou qui disparurent. Flora trouve la force de maîtriser son émoi.

Tous se pressent autour d'elle pour la féliciter. Ils s'étonnent de la voir en vêtements de ville et d'apprendre qu'elle était une fausse religieuse. Elle est aussi jolie « en civil » qu'en nonne. Un déchaînement de hourras mit fin à la séance.

Gordon et Walcker l'emmenèrent déjeuner. Ils lui indiquèrent le programme de la tournée en province qu'ils lui avaient préparée. Une voiture de la R.A.F. la transportera d'un endroit à l'autre.

Dans les comtés, elle fut reçue par les familles de ses « orphelins » dans de modestes cottages ou de somptueux châteaux. Elle fut accueillie partout avec la même gentillesse.

Les Londoniens lui avaient réservé une superbe chambre dans l'un des rares hôtels encore debout. Chaque soir, ils allaient danser jusqu'à l'aube dans les boîtes de nuit à la mode. Le champagne et le whisky n'étaient pas tristes. Elle partageait avec ces hommes, qui venaient de côtoyer la mort pendant tant de mois, une éclatante joie de vivre. Cependant, l'un d'entre eux, demeurait seul dans son coin, fumant cigarette sur cigarette, devant un verre de gin auquel il ne touchait guère.

Flora allait, de temps en temps, lui tenir compagnie. Le troisième soir, il lui offrit de la reconduire à son hôtel.

Chemin faisant, elle lui demanda la raison de sa tristesse. Il hésitait à lui répondre. Elle insista. Il se laissa convaincre. C'était pour elle qu'il venait dans ces tohu-bohu, pour lui témoigner son admiration et la remercier de l'avoir convoyé. Mais son cœur était ailleurs. En 44, il s'était marié avec la jeune fille qu'il aimait. En février 45, au retour d'un raid sur la Rhur, il se hâtait vers son appartement. Sa voiture dut s'arrêter à un barrage. Un V1 venait de tomber sur le quartier. Son immeuble s'était écroulé. Sa jeune épouse et leur bébé étaient morts. Il promène son désespoir. Il a démissionné. Il part dans quinze jours au Canada où on lui a proposé une situation. Il étreint le bras de Flora. Elle devine qu'il serre les dents pour reprendre son équilibre. Elle ne veut pas le laisser seul. Dans sa chambre, elle le fait asseoir à côté d'elle sur le sofa, pose sa main sur son épaule.

Elle lui confie son amour pour John, la naissance et la mort de leur petit Jean. Ils s'étendent tout habillés sur le lit.

Ils se sont endormis l'un contre l'autre. Ils s'éveillent tard. Ils se sourient sans rien se dire. Elle lui montre l'entrée de la salle de bain. Quand il revient, il la trouve en robe de chambre, pliée en chien de fusil. Elle lui tend la main, l'attire vers elle. Une tendresse réciproque les enveloppe, les apaise, les épanouit. Tout naturellement, ils s'abandonnent l'un à l'autre. Flora éprouve les bonheurs ineffables offerts par l'amour aux âmes qui l'implorent.

Tout à l'heure, en se levant pour se changer, elle avait accroché au bouton extérieur de la porte le carton « Don't Disturb ». Ils ont de longues heures devant eux.

Ils s'assoupirent, se reprirent, s'attendrissant aux consolations que peuvent se prodiguer deux êtres en détresse.

Le jour suivant se passa de la même manière. Ils se dirent adieu le soir. Leur rencontre leur avait octroyé une brève rémission. Ils allaient emporter, chacun de son côté, les lancinants souvenirs de leurs disparus.

Un avion de la Royal Air Force ramène Flora de Londres au Bourget. Le rideau tombe sur la dernière scène d'une pièce qu'elle ne jouera jamais plus.

Un brouillard de tristesse l'enveloppe. L'existence va lui paraître terne, vide, monotone. Ces aviateurs fraternellement aimés, celui de la veille qu'elle a tenté de consoler, vont lui échapper. Elle se retrouve seule, désespérément seule.

XIX

Le 15 novembre 1945, rue Saint-Sulpice, enfoncée dans son fauteuil, un plaid sur ses genoux, un paquet de copies à corriger à la main, Flora s'inquiète du brutal changement d'ambiance de sa chambre.

La pièce est glaciale. Elle se secoue, abandonne les copies, se lève, ouvre plusieurs livres, les referme presque aussitôt, place un disque sur un vieux gramophone, l'arrête au bout de quelques mesures, tripote les boutons de la radio, éteint le poste, se verse un fond de champagne, allume une cigarette, elle qui ne fume pour ainsi dire jamais.

Elle s'engonce dans sa couverture, regagne le fauteuil, n'en bouge plus, ne songeant ni à défaire son lit, ni à aller s'étendre. Ce qui règle son existence du moment a brusquement cessé de la préoccuper.

La cassure de son rythme de vie la désoriente. Hormis les entractes de sa grossesse et de son séjour au maquis, elle a toujours subi la pression de cadences insensées. Le programme de l'École de danse ne lui laissait que des répits chichement mesurés. L'allure s'emballa lorsqu'elle se mit en tête de mener de front le Conservatoire d'Art dramatique et la Sorbonne et de se lancer dans la préparation de son agrégation.

Le train ne s'était pas ralenti pendant les convoyages des aviateurs alliés, mais ce fut lorsqu'elle transbahuta les blessés dans son « Dodge » et qu'elle prodigua ses soins aux typhiques du lac de Constance, que les tensions atteignirent leur paroxysme. Les jours échevelés de Londres avaient clôturé la course.

Là, incapable de se sortir de son fauteuil, elle se désole. Le ralentissement du rythme de sa vie accentue sa solitude. Elle a toujours travaillé en groupe, dans une ambiance stimulante de lutte et de compétition. L'isolement l'étouffe. Elle remâche son échec à l'École de danse. Toute son adolescence, elle a rêvé de ces pas de deux et de ces variations dont la perfection déchaînerait le délire de l'Opéra. Il lui avait été dur d'admettre qu'elle n'aurait jamais le moindre public à conquérir. Elle s'est inscrite récemment à une académie de danse classique. Elle se sent raide, lourde, pataude. Elle devine des lueurs de commisération dans les regards des filles plus jeunes.

Dachau l'obsède. Elle revit ces nuits où, allongée sur un brancard, à l'intérieur de son ambulance, elle ne parvenait pas à trouver le sommeil. Les yeux des agonisants, que les siens avaient croisés dans la journée, lui imposaient une étroite intimité avec les morts et avec la mort.

En cette soirée de novembre, elle ressent, à fleur de nerfs, les premiers frémissements d'une angoisse mystique. Elle prend conscience des abysses où s'entrelacent les souffrances des uns et la malignité des autres. À l'absolu du mal devrait se superposer un absolu du bien, se met-elle à rêver.

Ses défunts la hantent. Elle imagine les derniers moments de Joseph. La bombe tombée sur le « *Bison* » avait-elle volatilisé son corps ? Indemne ou blessé s'était-il noyé ? Combien de minutes avait-il survécu ? Et John ! Avait-il compris l'inutilité de son ultime esquive, fut-il tué dans son cockpit, ses poursuivants avaient-ils fait un carton sur sa silhouette oscillant au bout des suspenses de son parachute, s'était-il englouti dans les flots ?

Joseph ! John ! Quelles furent leurs ultimes pensées ? Elle, Flora ; les leurs ; leurs parents disparus ; la rage impuissante d'une révolte inutile ; la terreur de l'au-delà ; un confiant abandon aux mains du créateur de toutes choses ?

À Londres, Flora avait écrit à Suzann Lelièvre, la sœur préférée de John. Sa lettre laissait deviner, à demi-mot, ce que son frère représentait pour elle. À une réponse émanant de Madame Lelièvre mère, était jointe une copie manuscrite de la dernière missive de John postée la veille du jour de sa disparition dans les parages de Douvres. Rien n'évoquait son « détour » par la France. Il mentionnait brièvement l'accident qui lui avait valu une hospitalisation de trois semaines. En revanche, en un peu plus de deux pages, il rapportait la générosité et la gentillesse de la jeune fille qui l'avait soigné et réconforté. La guerre finie, il espérait la revoir et lui demander de l'épouser.

Six semaines auparavant, Flora avait pris son poste au lycée d'Asnières. Rentrée morose. Elle avait la charge de trois classes d'anglais, une en sixième, deux en cinquième. Il lui est pénible de n'avoir affaire qu'à des débutants dont la plupart n'ont guère de dispositions pour les langues étrangères. Elle aurait aimé une classe bien à elle, comme à Amiens. Et puis, la vision de tous ces garçons ravive en elle la tristesse de la disparition du petit Jean.

Cruauté du sort : elle avait dû surmonter seule cette épreuve, sans le secours de sa mère disparue trop tôt. Lors de la naissance du bébé, elles auraient partagé le même bonheur. À la mort du nourrisson, elles se seraient étreintes dans les affres d'un commun désespoir.

Flora se sent proche de son père et de sa mère que la vie a séparés après les avoir si étroitement liés.

Les défunts qu'elle a aimés s'agglutinent autour d'elle : la pauvre Rose, le « Magnifique », Yves le cousin de Joseph, le colonel de Meudon, Alphonse Madec, son chauffeur dévoué, infatigable et si bon comédien lorsque les circonstances l'exigeaient ! Peter Gibson, l'ancien commando qui lui avait enseigné la manière de se débarrasser promptement d'un importun ! Et combien d'autres encore. Se pressent autour d'elle les blessés qui ont expiré dans son « Dodge », dans les Vosges et en Alsace. Les dépasse par sa taille, le grand lieutenant au larynx béant dont l'ultime souci fut de signifier son pardon à une épouse volage. Et Francis le téméraire, laminé par les chenilles d'un « Panther » : décalque rouge sur couche de neige. Et les seize typhiques de l'île de Constance que l'on n'avait pu tirer d'affaire !

Une figure lunaire émergeait de cette cohorte : celle de Max Jacob. La chaleur des paumes du poète brûle encore les phalanges de Flora. Elle ne cesse d'interroger son indéfinissable sourire, au coin duquel le regret désolé de l'avoir peinée s'était si vite substitué à l'acidité de ses sarcasmes.

Le souvenir de son chemin de croix à Saint-Benoît-sur-Loire s'illumine. Brutalement, les abîmes de la prière s'ouvrent devant elle. Flora se dégage de son fauteuil, se jette au pied de son lit. Dans le silence et la froidure de la nuit, les yeux clos sous la pression de ses poings, elle prend conscience qu'une voix sans parole, qu'une oreille sourde, qu'une vision obscure viennent de naître dans une part ignorée de son être.

Elle perçoit bientôt la puissance et la portée de ces sens inconnus. Elle se sent envahie par une indicible présence dont émanent une bonté rayonnante, un espoir mêlé d'inquiétude, une lumière ombrée de douleur, une lassitude marbrée de sévérité.

La conception qu'elle s'était faite de la vie jusque là s'éclipse. Elle ne peut plus envisager, pour elle, d'autres perspectives qu'une existence vouée à la prière et aux œuvres charitables. Elle se décide dans l'heure. Elle entrera dans la congrégation à laquelle appartenait la sœur Léontine.

En quelques mots, la religieuse du pavillon des contagieux lui en avait résumé l'esprit : soigner et veiller les malades à leur domicile ou à l'hôpital ; passer une partie de la nuit à prier et à méditer.

Dans les jours qui suivirent, Flora se démit de ses fonctions de professeur. Le 20 décembre 1945, elle sonnait à la porte du noviciat.

XX

Flora fut priée d'attendre quelque temps au parloir. On lui demanda d'exposer sur un billet les raisons de sa demande d'audience à la supérieure générale de la congrégation.

Mère Irène vint elle-même la chercher pour la conduire dans son bureau. Elle lui dit sa joie de la revoir, lui posa de multiples questions sur les « orphelins », sur ce qu'elle était devenue depuis 1943.

Flora, évoquant l'accueil qu'elle lui avait réservé en septembre 40, la remercia de l'aide capitale que ses couvents lui apportèrent dans l'organisation et le fonctionnement de la filière. En souriant, la religieuse lui répondit que cela n'avait rien que de très naturel.

Au chapitre de son entrée dans la congrégation, mère Irène souhaitait, avant de lui ouvrir les portes du noviciat, la voir accomplir une retraite de trois semaines pour mûrir sa décision. Flora ne l'entendait pas de cette oreille. Les circonstances dramatiques qu'elle a traversées, elle cita Dachau, les îles du Lac, étaient suffisamment probantes pour que l'on ne puisse mettre en doute les assises de sa volonté. La supérieure s'inclina : elle serait admise au noviciat le soir même.

Une question d'intendance restait à régler. Si elle en avait les moyens, désirerait-elle constituer une dot au bénéfice de la congrégation ? Elle le ferait bien volontiers. Elle donna à mère Irène l'adresse de Pierre Ducros pour qu'elle prenne contact avec lui. Elle allait, sur le champ, le prévenir de la nouvelle orientation de son existence et le prier de préparer la donation.

La mère se leva. Elle proposa à Flora d'aller faire quelques pas dehors. Pendant leurs allées et venues, dans la partie du jardin qui lui était implicitement réservée, mère Irène donna à la postulante ses premiers conseils.

Elle lui recommanda de se pénétrer de l'esprit de la règle. La règle, insistait-elle, est à la vie religieuse ce que la syntaxe représente pour une langue, c'est-à-dire une contrainte exigeante, permettant par un inexplicable paradoxe, l'éclosion des styles les plus divers et les plus personnels.

Le chanoine fondateur estimait que le service des malades accompli dans la gratuité d'une charité parfaite, comportait assez de renoncements et de sacrifices pour que l'on n'infligeât pas aux sœurs d'autres mortifications. Elles bénéficient d'un régime alimentaire normal soumis, bien entendu, à l'observance des prescriptions relatives au jeûne et à l'abstinence.

Il n'a pas voulu, non plus, couper les liens de ses filles avec leur famille. À l'issue de leur retraite annuelle, il leur est loisible de passer une semaine de vacances chez leurs parents et, au cas où ceux-ci tomberaient malades, elles pourraient les visiter.

La règle prévoit une heure de récréation après le déjeuner. Les religieuses ont la faculté de se livrer à des occupations de leur choix : lire, broder, dessiner, coudre, écrire, converser. Elles sont libres de recevoir des lettres et de correspondre avec qui bon leur semble.

Elles sont tenues, quotidiennement, à trois heures de prières et de méditations nocturnes, au chevet de leurs patients ou dans la chapelle de leur couvent.

Pour la mère, loin de toute pensée mesquine, la vie religieuse conjugue la ferveur mystique de la prière et l'exercice d'une charité totalement désintéressée.

Couplé avec les études préparatoires au diplôme d'infirmière, le noviciat durait trois ans. Les soins que les sœurs étaient amenées à donner à domicile les obligeaient à se doter d'indiscutables compétences.

Tout au long de cette période, mère Irène convoqua Flora plusieurs fois par mois pour suivre la progression de son épanouissement spirituel. Il lui arrivait de la prier de lui conter par le menu la manière dont s'étaient passées les escales des « orphelins » dans ses couvents. L'épisode du pavillon des contagieux déclencha chez elle une hilarité difficile à contenir. Parfois, elle se laissait aller à des confidences sur son enfance, sa vie de jeune fille et la naissance de sa vocation.

Son noviciat achevé, ses vœux prononcés, Flora rejoignit une communauté installée dans la périphérie d'une petite ville du Maine-et-Loire. Les familles des malades l'accueillirent avec gentillesse. Heureuse de se sentir utile, les témoignages de reconnaissance la touchaient. Elle s'occupait surtout des ruraux venus travailler aux usines de produits chimiques et d'appareillages électromécaniques implantées depuis peu dans la localité.

Pour ces anciens domestiques agricoles, pour ces fils de fermiers, alors confrontés avec l'impossibilité de louer des terres pour s'établir, la transition entre la vie à la campagne et la vie en usine s'avérait difficile. Logés dans des conditions médiocres, sinon indécentes, ils se morfondaient. Accoutumés à l'espace et au grand air, au caractère saisonnier et à la diversité des travaux des champs, ils se résignaient mal à la monotonie des tâches et à la régularité des rythmes horaires de l'industrie. Leur adoption par la petite ville se heurtait à cette foule de contrariétés mineures dont le renouvellement quotidien décourage les meilleures volontés.

Par-delà les soins qu'elle leur prodiguait, Flora accordait à ces hommes et à ces femmes ce dont les gens malheureux ont le plus souvent besoin : une oreille compréhensive et patiente. Ils lui racontaient leurs champs et leurs bêtes. Elle leur demandait de rechercher les souvenirs de leur parenté. Ils n'osaient guère aborder les premiers un tel sujet, craignant de l'ennuyer en relatant des faits sans importance ou en parlant de modestes personnes. Elle trouvait, au contraire, un intérêt passionné à voir et à entendre revivre tout un milieu paysan, avec ses usages et ses coutumes, ses orgueils et ses secrets, ses vantardises et ses pudeurs et surtout avec son inépuisable courage « d'endurer » le pire.

Elle aimait leurs enfants. Leur bruyante agitation dans les pièces exiguës de leurs logements ne la rebutait pas. Elle les voyait grandir et se prenait à imaginer leur avenir. Sans doute, pensait-elle au garçonnet dont le destin l'avait privée.

Elle les aidait, à l'occasion, à faire leurs devoirs et à apprendre leurs leçons. Elle parvenait à suivre les plus en retard et les mieux doués et leur faisait faire, aux uns comme aux autres, de surprenants progrès. Elle entretenait des contacts cordiaux avec leurs institutrices, surprises de la découvrir aussi savante. Elle réglait la dette, leur expliquait-elle, dont elle était redevable à l'enseignante bourguignonne qui, au péril de sa vie, l'avait cachée pendant l'occupation.

Mère Irène et Flora n'avaient pas été longues à découvrir leurs affinités. Le défilé des années ne cessait d'affermir le climat de confiance qui s'était spontanément établi entre elles.

Parmi les préoccupations de la supérieure générale, l'une dominait toutes les autres : celle de maintenir intact le patrimoine spirituel et temporel dont son élection lui avait confié la responsabilité. Son inflexible souci d'assurer la continuité de l'œuvre qui lui était remise inspirait la poursuite de son action.

Elle n'aimait pas se perdre dans la broussaille des détails, ni s'embarrasser de paperasses inutiles. Elle avait accordé de larges délégations aux supérieures locales en conservant, cependant, la haute main sur l'administration de l'ensemble de la congrégation et sur la direction spirituelle des religieuses.

Elle veillait avec un soin jaloux à la saine gestion des finances de la maison. Elles étaient prospères. Elle savait où trouver et comment solliciter les meilleurs conseils de la province et de la capitale.

Les problèmes liés à l'activité charitable de ses communautés et à l'existence de leur domaine immobilier l'obligeaient à entretenir une lourde correspondance avec les autorités et les élus locaux. Elle se défendait de faire de la politique, mais elle usait volontiers des relations de sa famille pour obtenir une introduction. Elle connaissait parfaitement les bureaux parisiens des ministères de l'Intérieur et de la Santé auxquels il convenait de s'adresser pour faire avancer une affaire ou régler un litige.

Étroitement soumise à Rome en esprit, elle estimait de son devoir de tenir, à tout prix, la congrégation à l'écart des luttes de tendances et des conflits d'autorité que l'on commençait à voir poindre. Ce souci présidait au style de ses rapports épistolaires avec la hiérarchie ecclésiastique.

Elle répugnait à engager la moindre polémique. Elle recevait avec une profonde reconnaissance suggestions et directives, observations et critiques mais, pour répondre ou prendre les devants, elle utilisait deux claviers aux registres étendus dont elle combinait habilement les jeux pour composer des contrepoints atteignant au chef-d'œuvre.

Le premier clavier ressortissait aux jeux de la haute et de la très haute déférence due à la Curie et aux prélats et de la déférence ordinaire réservée aux vicaires généraux des diocèses. Il lui arrivait d'oindre cette dernière d'un léger parfum d'impertinence, lorsqu'elle s'adressait à des personnages à qui elle mesurait son estime. Elle opérait alors, en retirant, ou pis encore, en ajoutant deux ou trois pincées de respect à la dose à laquelle pouvait prétendre son correspondant, eu égard à son âge ou à son rang.

Le second clavier disposait des jeux de l'adhésion parcourant toute la gamme allant des adhésions spontanées et enthousiastes, aux adhésions mitigées ou réticentes. La Mère commençait, immanquablement, par reconnaître le bien-fondé des idées mises sur le tapis, se plaisant à en souligner, elle-même, les avantages. Puis, sous couleur d'étudier la réalisation pratique des mesures préconisées, elle développait, à l'envi, le catalogue des inconvénients qu'entraînerait le passage du souhaitable au possible. Enfin, la réflexion aidant, et la lettre s'étoffait singulièrement ici, elle faisait innocemment part des doutes qui s'emparaient d'elle. Et là, avec un art qu'elle tenait peut-être de son père diplomate, elle empruntait la substance de ses scrupules aux arrière-pensées qu'elle prêtait, plus ou moins gratuitement, aux initiateurs de la nouveauté afin de les enfermer dans le dilemme d'avoir à se déjuger pour la détromper ou de lui confirmer les motifs occultes de leur démarche.

Le plus souvent l'affaire en restait là. Cependant, pour désamorcer les projets qu'elle jugeait particulièrement pernicieux ou inopportuns, elle s'employait à leur donner une publicité dont leurs auteurs se seraient volontiers passés. S'affublant des apparences de la naïveté, faisant mine de prendre à son compte la teneur de la proposition, elle se mettait à solliciter, de droite et de gauche, de multiples conseils en étalant le contenu de ses cas de conscience. On avait fini par reconnaître le caractère imparable de ses fleurets mouchetés.

Mère Irène ne badinait pas avec la règle. Le fondateur n'avait pas admis qu'il existât deux catégories de religieuses : les converses vouées aux besognes serviles et les sœurs « bien nées » qui en seraient dispensées. Dans la congrégation, toutes devaient, à tour de rôle, partager les corvées domestiques.

La Mère demeurait intraitable au regard du costume. Elle exigeait qu'il demeurât impeccable en n'importe quelle circonstance. Il effaçait les origines familiales et plaçait les postulantes sur un pied d'égalité. Son linge empesé obligeait chacune à un maintien faisant honneur aux pauvres gens dont elle s'était instituée la servante. Il leur tenait enfin lieu de sauf-conduit, disait-elle aux sœurs, lorsqu'il leur fallait s'aventurer dans des quartiers interlopes.

Tous les malheureux devaient pouvoir bénéficier des soins dispensés par les religieuses. Elle avait vertement tancé une supérieure pour avoir refusé d'envoyer une garde-malade au chevet d'une femme vivant en concubinage. Elle interdisait tout prosélytisme dans les foyers où les sœurs devaient pénétrer. Le témoignage de leur sourire, de leur patience, de leur prière nocturne valait, à son avis, les plus édifiantes exhortations.

Elle recommandait à ses filles de ne jamais se mêler de politique. À un préfet qui, aux approches d'une élection législative, s'était discrètement inquiété des consignes de vote susceptibles d'être adressées à ses communautés, elle avait fait répondre qu'elle laisserait à l'Esprit saint le soin de souffler à ses nonnes le bon choix. Elle avait cependant rappelé, en 1940, à toutes les religieuses, que françaises, elles devaient participer à la lutte contre l'occupant nazi.

Chaque année, Mère Irène allait passer quelques jours dans les couvents. Elle s'entretenait longuement avec les sœurs, prenant bien soin de ne jamais les interrompre lorsqu'elles évoquaient leurs joies et leurs peines, leurs difficultés et leurs espoirs.

Tout en leur rappelant les vertus de l'humilité, elle s'attachait, cependant, à inculquer à ses filles la fierté de leur habit et de leur état, et à les convaincre de l'importance et de l'utilité de leur action charitable.

Elle redoutait que les routines conventuelles ne finissent par entamer la personnalité des religieuses. Elle misait sur l'intensité de leurs méditations, l'heureux choix de leurs occupations récréatives et la beauté des offices pour favoriser l'épanouissement de leurs âmes.

Tout être humain, estimait-elle, se trouve plus ou moins inconsciemment aux prises avec le désir de consacrer une partie de son existence à des activités manuelles ou intellectuelles, humbles ou savantes, pour lesquelles il éprouve une attirance instinctive. De l'assouvissement de ce besoin, déclarait-elle, dépendait la pleine croissance des talents particuliers dont chacun de nous recèle les germes. Si l'on ne favorise pas le développement de ces dons innés, il ne faudra pas s'étonner de la répugnance que la personne en cause manifestera, un jour ou l'autre, à vouer, de bon cœur, la totalité de sa vie à des tâches rebutantes. Elle incitait les supérieures à commander les objets, les fournitures, les documents et les livres que requérait la variété des travaux et des exercices auxquels les religieuses souhaitaient se livrer au cours de leurs récréations. Récréation cousine avec se recréer, soulignait-elle.

Une fois l'an, par moitiés successives, toutes les communautés se rassemblaient à la maison-mère pour suivre une retraite. La supérieure générale rédigeait, elle-même, les thèmes des instructions qui meubleraient les journées. Elle réussissait toujours à recruter un prédicateur en renom pour les développer.

Elle tenait à la beauté des offices. Elle avait adopté la manière de chanter en honneur à l'abbaye de Solesmes. Elle trouvait parmi les postulantes les éléments d'un renouvellement permanent de la remarquable chorale qu'elle avait créée.

L'impression laissée par la messe d'ouverture de la retraite, célébrée à la mémoire des religieuses décédées au cours de l'année, aidait Mère Irène à aborder, en séances restreintes, le mystère de la mort. Elle évoquait la redoutable interrogation de l'au-delà. Elle pressait ses filles d'arriver au jour inéluctable les mains encombrées du bon emploi des facultés dont elles avaient bénéficié à leur naissance. Toutefois, ajoutait-elle, l'insuffisance de nos œuvres humaines nous impose d'implorer la pitié du Seigneur. Elle leur recommandait de relire, de temps à autre, les paroles du *Dies Irae* venues, du fond d'un millénaire, clamer le plus bouleversant des appels à la miséricorde divine.

Modulant à sa façon le pari de Pascal, elle concluait en défiant ses auditrices de mettre sérieusement en balance les trente-six mille cinq cent vingt-cinq jours concédés aux centenaires et les siècles de siècles de l'éternité.

XXI

Au milieu du mois de décembre 1956, Mère Irène a prié Flora de venir l'assister. Ancrée dans l'idée qu'elle serait appelée à lui succéder, il lui paraît indispensable de lui faire partager, sans plus tarder, certaines de ses responsabilités.

La Mère lui rapporta l'entretien qu'elle avait eu récemment avec son médecin.

— « Ma Mère, je viens de recevoir les résultats des analyses que je vous avais prescrites. »

— « Alors, Docteur ? »

— « Disons qu'ils ne sont pas entièrement satisfaisants. »

— « Je vous serais reconnaissante, Docteur, de ne rien me cacher. »

— « Euh ! Eh bien... »

— « J'insiste Docteur... »

— « Puisque vous insistez, ma Mère, je dois vous annoncer que nous nous trouvons, sans doute, en présence d'une tumeur cancéreuse. »

— « Je le redoutais... »

— « Ne vous inquiétez pas outre mesure, ma Mère, à l'âge que vous avez atteint, l'évolution de cette maladie est lente, parfois même très lente. »

— « Oui... Je vois... »

— « Et puis, l'un de mes confrères et moi-même allons envisager la possibilité d'une intervention chirurgicale. L'on commence également à mettre en œuvre des traitements post-opératoires de chimiothérapie sur lesquels on fonde de grands espoirs. »

— « Mais, dites-moi donc, Docteur, après l'opération, quelle sera la durée de la convalescence ? Dans quels délais pourrais-je reprendre mon activité ? »

— « Hum... raisonnablement... trois semaines... trois mois... »

— « Et cette chimie dont vous me parlez ! Le traitement a-t-il une influence sur les facultés cérébrales : attention, compréhension, temps de travail ? »

— « N'exagérons rien, ma Mère. Bien entendu, au début, vous subirez quelques inconvénients et il faudra vous ménager... Vous savez, vous et moi n'avons plus vingt ans ! Pourrions-nous fixer, dès maintenant, la date d'une consultation avec mon confrère ? »

— « Docteur, vous m'accorderez bien un délai de réflexion avant que je vous donne ma réponse ? »

— « Bien entendu, ma Mère... Prenez votre temps, mais n'oubliez pas que la promptitude d'une décision entre pour une bonne part dans les chances de guérison... Téléphonez-moi... Et surtout, ne vous inquiétez pas... ! »

Sur la relation de ce dialogue s'ensuivit, murmuré d'une voix hésitante, un long soliloque.

Atterrée par ce qu'elle venait d'apprendre, Flora n'osa prononcer un seul mot.

« J'appellerai demain le docteur. Je me refuse à être opérée. Je ne veux pas entendre parler de leurs traitements chimiques. Le médecin me l'a dit lui-même, à mon âge, l'évolution de cette saleté est lente, parfois très lente. Pourquoi ne pas tabler sur cette carte ? Souffrirais-je davantage ? Ce n'est pas évident. Les fatigues consécutives à la chimio sont, paraît-il, épuisantes. J'ai vu maman mourir de la même maladie. Les derniers mois, elle a beaucoup souffert. Elle n'a rien changé à ses habitudes. Elle ne s'est alitée qu'une semaine avant de s'en aller. Elle l'a fait. Je ferai comme elle ! J'ai l'intime conviction que la souffrance acceptée et offerte est la plus efficace des prières, à la condition de laisser aux hôtes célestes à qui elles sont adressées, la liberté d'en désigner les bénéficiaires. »

« Ce soir, je suis soulagée, délivrée. Je m'inquiétais de ces douleurs lancinantes. Le tracas qu'elles me causaient m'empêchait de me concentrer. Après les révélations du docteur, je ne les sens presque plus. »

« Et puis je sais, qu'avant deux ou trois ans, je serai, s'Il veut bien de moi, en présence du Créateur du ciel et de la terre et que je disposerai de toute l'éternité pour contempler sa Personne, connaître et admirer Ses œuvres. Elles sont si belles Ses œuvres : la splendeur d'un beau corps, d'une belle âme, d'un pur sang, de certains couchers du soleil... celle du firmament. Et nous retrouverons ceux qui nous ont aimé et ceux que nous avons aimés ! »

« La communion des saints, “ce n'est pas de la tarte” comme l'exprime si justement notre chère sœur Léontine. En voilà une dont la place sera bien proche du siège de Notre-Seigneur... Là-Haut ! »

XXII

Mère Irène a installé Flora dans son bureau. Elle a débarrassé sa table pour que son adjointe puisse prendre place en face d'elle.

Elle lui a présenté le notaire, l'avocat et l'agent de change qui l'aident à gérer les biens mobiliers et immobiliers de la congrégation. Bilans et relevés bancaires en main, l'agent de change et le notaire confirment la solidité financière de la maison.

Flora reçoit une délégation qui lui permettra de signer une bonne part du courrier administratif. La Mère se réserve la correspondance avec les supérieures des communautés. Elle confie, cependant, à sa vis-à-vis, le soin de rédiger les brouillons des lettres délicates, tant elle apprécie l'à-propos de ses phrases, la judicieuse articulation de ses arguments et l'aisance de son style. Elle modifie, toutefois, ici ou là, une tournure ou un mot, rectifie ou complète une ponctuation mais au fil des mois ses corrections se feront de plus en plus rares.

En fin d'après-midi, les deux femmes s'accordent un répit. Elles repoussent leurs fauteuils, s'étirent, s'entretiennent à bâtons rompus.

Un matin, Mère Irène remit à Flora les onze fascicules du journal qu'elle tenait depuis son adolescence. Ils relataient des événements personnels, se parsemaient de notes sur sa famille, consignaient diverses réflexions. Par souci de sécurité, leur rédaction avait été interrompue pendant l'occupation.

Les réponses de la novice aux nombreuses questions posées par la supérieure générale au sujet des « orphelins » avaient fait l'objet d'un carnet particulier. La Mère demanda à Flora de parcourir rapidement ce dernier pour lui donner son sentiment sur ce qu'il conviendrait d'en faire après sa mort : le détruire, le publier partiellement ou en totalité, le déposer au Service historique de l'Armée ?

Au cours des bâtons rompus des fins de journée, sans doute inquiète de son état de santé, Mère Irène se montre de plus en plus impatiente de savoir où en est sa cadette de sa lecture. Elle lui souligne l'intérêt qu'elle trouverait à rechercher, sans trop tarder, certains passages de tels ou tels fascicules, plutôt que de les lire les uns à la suite des autres.

Parfois, la Mère interrompt brusquement la conversation pour se réfugier dans un silence dont elle ne sort que pour reprendre dans un souffle un monologue plus ou moins étoffé. Elle a prié Flora de l'excuser, une fois pour toutes, de se mettre ainsi à parler seule en face d'elle. Depuis des années, « elle réfléchit à mi-voix, compose à mi-voix » les premiers états de ses écrits, soit dans son bureau, soit en allant arpenter l'allée du jardin dont la discrétion des unes et des autres lui a réservé l'usage exclusif.

La réponse de l'adjointe s'était accompagnée d'un grand sourire : elle lui était reconnaissante de l'avoir prise comme confidente, elle l'écouterait pendant des heures et des heures sans se lasser.

Flora sait à quel point il est nécessaire à la Mère de trouver, pour le temps qui lui reste à vivre, une oreille attentive et compatissante. Elle sera là et elle n'hésitera plus à demander à sa supérieure générale de lui parler de sa jeunesse, de sa famille, de ses études, de sa vocation.

— « J'ai lu votre troisième carnet, ma Mère. J'ignorais votre extraordinaire connaissance de l'histoire de la danse. »

— « Extraordinaire, non. Partielle seulement. Je la dois à mon père. De 1916 à 1921, il fut conseiller à la Légation de France à Copenhague. Le jour de mes vingt et un ans, il me demanda si cela m'intéresserait d'étudier l'influence exercée par l'école française de danse sur le Ballet Royal. Il réussit à me faire recevoir par Hans Beck, le maître de la compagnie. »

« Ce vieux monsieur m'a ouvert les archives du Théâtre royal et m'a fourni mille détails sur la vie et les œuvres des deux danseurs français qui dirigèrent le ballet avant lui. Qui donc déjà ? »

— « Les Bournonville... »

— « Oui, c'est cela. Je perds la mémoire ! Antoine Bournonville et son fils Auguste. Le père prit en main le ballet en 1816 et le fils régna de 1829 à 1879 ! Un demi-siècle ! Antoine eut comme maître le grand Jean-Georges Noverre et Auguste, le fils de l'inoubliable Gaëtan Vestris. Auguste s'était lié avec le conteur Hans Christian Andersen. Il porta le ballet au summum de la perfection. »

« J'ai mis plus d'un an à rédiger mon mémoire ! De la pure compilation, mais mon cher papa était aux anges. »

— « Possédez-vous encore un exemplaire de ce travail, ma Mère ? J'aimerais le lire. »

— « Je n'en ai plus un seul. Ce n'était qu'une compilation consciencieuse, mais bien mal ficelée. Pour en revenir à Hans Beck, il maintint sans faiblir la tradition d'Auguste Bournonville. Il me fit connaître Harald Lander, un sujet exceptionnel qui devait lui succéder en 1932, je crois. »

— « Ce Lander a créé en 48, sur une musique de Czerny, le ballet « Études » inspiré de *La Leçon de Danse* de Bournonville. »

— « J'en ai entendu parler. Sa beauté s'apparente à celle de la reprise des « dieux » à Saumur. Mais ma Sœur, au cours de votre noviciat, vous m'aviez dit avoir étudié la danse classique ? »

— « Oui, ma Mère, cinq années à l'École de danse de l'Opéra de Paris... Cinq années qui se soldèrent par un échec cuisant. Un crève-cœur ! »

— « Un échec doit inciter à relancer la balle plus haute et plus loin. Pour vous, le Conservatoire, une agrégation ! Ne vous laissez jamais ronger par des regrets. La vie continue, elle est si courte ! »

— « Mes regrets sont à cent lieues. Pour l'instant, je me contente de la vie que je mène ici ! »

— « Mon père m'avait inculqué le goût de la danse classique. Nous pourrons échanger nos souvenirs. »

Dès lors, il ne se passa plus de semaine, sans que Flora et la Mère n'évoquent chorégraphies, danseurs, et ballerines plus ou moins célèbres et ne discutent, à perte de vue, les pas, les gestes et les enchaînements essentiels de la grammaire de la danse. La Mère oubliait son mal, Flora retrouvait son adolescence.

— « Vos premiers carnets, ma Mère, laissent dans l'ombre la genèse de votre vocation. Pardonnez-moi mon indiscrétion. L'hécatombe de 14-18 n'a t-elle pas privé les jeunes filles de votre génération d'un nombre insensé de fiancés possibles ? »

— « Ne vous méprenez pas, ma chère Sœur. J'étais une jeune fille romantique et, comme mes amies, j'ai plusieurs fois laissé battre mon cœur. »

« En 1921, lorsque le croiseur *Marseillaise* est venu conduire Paul Claudel à Copenhague, il avait à son bord un jeune enseigne de vaisseau fort séduisant et pendant les cinq jours d'escale du navire je n'ai eu d'yeux que pour lui. L'année suivante, invitée au carrousel de Saumur, par un frère cadet de mon père, instructeur au cadre noir, je m'étais toquée d'un bel officier. Au bal, le soir, je n'avais dansé qu'avec lui. Ma tante m'avait sévèrement réprimandée pour m'être "outrageusement affichée" avec ce lieutenant. À la surprise de toute ma famille, je pris le voile deux mois après ! »

— « Vocation subite, ma Mère, ou aboutissement d'un long parcours ? »

— « Attendez, ma Sœur, attendez... En 1914, aux vacances de Pâques, je séjournais chez mon parrain, le frère aîné de ma mère, armateur à Nantes, fils d'armateur. Entre parenthèses, avant de prendre la succession de son père, il avait commandé, à moins de trente ans d'âge, un "cap-hornier" qui allait dans le Pacifique charger de la laine en Australie ou du nitrate au Chili. J'avais une véritable adoration pour mon parrain. Les relations d'une jeune nièce et d'un vieil oncle sont privilégiées, lorsqu'elles unissent, et c'était le cas, l'inconséquence de l'une à l'indulgence et à la sagesse de l'autre. »

— « Famille heureuse... »

— « Oui. J'avoue avoir été gâtée. Mais laissez-moi reprendre, je vous prie, ce que je voulais vous dire avant que je ne l'oublie. Un bel après-midi, accompagnée de mon chaperon, une vieille fille anglaise entre deux âges, rébarbative, laide à faire peur, je ne pouvais pas la "piffrer", j'étais allée admirer les grands trois-mâts amarrés le long des quais. »

« Espiègle, je m'étais amusée à semer Miss Mabel. Ce faisant, je m'égarai dans des ruelles inquiétantes peuplées d'ivrognes. Le jour baissait, je n'en menais pas large. Deux jeunes sœurs de notre congrégation m'abordèrent pour me demander ce que je pouvais bien faire, seule, dans un quartier pareil. Elles me proposèrent de me raccompagner. Elles étaient gaies comme des pinsons, gentilles comme des cœurs, et j'admirais la manière dont la tournure de leur robe et la forme de leur cornette leur seyaient. Elles m'invitèrent à suivre les offices de la semaine sainte dans leur couvent, me donnèrent la règle à lire et me contèrent leur existence : le service des pauvres, la prière, la méditation, les fous rires des récréations. Elles respiraient le bonheur. »

« Ma décision d'entrer en religion date de ces jours-là. C'est très simple, on se sent appelée, le tout est de ne point résister. Pendant dix années, j'ai gardé mon secret ! »

— « Me permettez-vous, ma Mère, de vous poser une fois de plus une question indiscrète ? La forme du costume des sœurs nantaises vous a frappé ? Le charme qui émane d'un vêtement a-t-il joué ? A-t-il influé sur votre décision ? »

— « Sœur fine mouche, ce charme est indéniable. Sans doute l'habit ne fait pas le moine, mais il n'est pas de moine sans habit. L'habit enrobe les idées que nous nous faisons de notre caractère, de notre maintien, de notre personne. »

— « J'éprouve le même sentiment. Pendant presque deux ans, j'ai porté, avec votre permission, l'habit de notre congrégation. Il m'allait bien, mes gestes avaient épousé sa coupe. Les moniales qui partagèrent ma chambre à Camaret, en 1940, me tenaient à ce sujet les mêmes propos que vous. »

Les mois se succédaient. Un soir, la supérieure générale ne put s'empêcher de faire allusion aux ennuis que lui avait causés la sœur Émilie.

Cette religieuse était une « vocation tardive ». Docteur en droit, licenciée en sociologie, diplômée d'études supérieures d'histoire, elle venait de quitter un cabinet d'architectes. La congrégation s'enorgueillit d'une si brillante entrée. Un peu imprudemment, on écourta la durée de son noviciat

On ne pouvait mettre en doute la générosité et la pureté de ses intentions, la sincérité de sa piété, la solidité de sa foi, la logique de son intelligence, mais à l'évidence le service des malades ne lui convenait pas. Elle ne possédait pas la « manière ». La subtilité des sensibilités et des affectivités des humbles lui échappait. Maladroite dans ses paroles, elle excellait dans l'art de mettre en lumière ce que les braves gens tiennent le plus à taire et à cacher ; le désordre d'une cuisine, l'incontinence d'un adolescent, l'ivrognerie d'un mari.

La brusquerie de ses gestes déconcertait les malades. Un jour, en pratiquant une banale « intra-musculaire », elle planta son aiguille dans le nerf sciatique d'un patient. Le médecin traitant se fâcha, alerta ses confrères, et prévint la supérieure générale que si elle ne retirait pas à cette sœur la possibilité de donner des soins aux malades, l'affaire pourrait avoir des suites judiciaires.

Sœur Émilie fut rappelée à la maison-mère où lui furent confiées des tâches administratives. Dans ses nouvelles fonctions, elle fit preuve d'indéniables qualités. Érudite, active, elle remit en ordre de nombreux dossiers, constitua une remarquable documentation relative à la législation du travail, réorganisa le secrétariat, commanda des meubles de bureau « fonctionnels », des machines à écrire et des calculatrices modernes, un appareil de reprographie.

Mère Irène se félicitait d'avoir trouvé une collaboratrice aussi précieuse. Elle déchanta bientôt.

Diplomate, pragmatique, la supérieure générale laissait au temps le soin d'apprivoiser les esprits à la mise en route d'une réforme. La sœur se plaisait à ressasser qu'il convenait de vivre à son époque et que les changements recélaient, en eux-mêmes, des vertus propres, autrement importantes que la conservation d'antiquités surannées.

La Mère s'inquiétait du manque de jugement de cette religieuse. Elle n'avait dû retenir de ses études de sociologie que des schémas sans nuances, « enkystant » dans son cerveau un classement « socio-professionnel » : ruraux, artisans, ouvriers, employés, cadres, commerçants, professions libérales... Elle n'avait pas la moindre idée que d'un métier, d'une spécialité, d'un terroir à un autre, les modes d'expression et les mentalités pouvaient différer d'étonnante manière.

Plus grave encore, à maintes reprises, cette femme de bonne volonté démontra sa totale incapacité à distinguer, parmi des éléments épars, ceux qui devaient prendre le pas sur les autres. Mère Irène redoutait que cette sœur Émilie ne fut, par moments, la proie d'un véritable délire de la persécution, tant elle semblait en vouloir à celles dont les idées n'épousaient pas les siennes.

Enfin, et cela agaçait prodigieusement la Mère, elle ne cessait de déblatérer contre le costume et de dénigrer la chorale, incapable d'interpréter d'autres chants que des mélopées d'un autre âge.

La supérieure générale ne savait plus à quel saint se vouer. Elle ressentit un immense soulagement lorsqu'en octobre 1953, sœur Émilie sollicita son détachement pour aller assurer le secrétariat d'un archevêque. La Mère satisfit dans l'heure à sa demande tout en souhaitant, *in petto*, longue vie au prélat.

Au cours de la détente clôturant leurs après-midi, Mère Irène redemandait de plus en plus souvent à son assistante où elle en était de la lecture de ses carnets.

Flora lui dit un soir qu'elle avait repris le fascicule relatif à la participation de la congrégation aux succès de la filière d'évasion. À son avis, ses pages pourraient être traduites en anglais et publiées dans des revues du Commonwealth. Le manuscrit devrait être versé au Service historique de l'Armée de l'Air. L'épisode du pavillon des contagieux permit à Mère Irène d'évoquer sœur Léontine. Flora avait-elle eu vent de l'incident du 11 novembre 1948 ?

— « J'étais encore au noviciat à cette époque et la maîtresse des novices n'admettait pas les papotages. La préparation à l'examen d'infirmière ne nous laissait guère le loisir de lire la presse. »

— « Alors je vais vous le raconter. »

« Sœur Léontine est entrée en 1920 dans notre congrégation. Elle recherchait les tâches les plus rebutantes. Elle allait de préférence soigner les malades dont l'état nécessitait les soins les plus pénibles à dispenser et se faisait attribuer les gardes de nuit dans les taudis des miséreux. Son secret résidait, sans doute, dans son amour viscéral de l'humanité douloureuse et déshéritée. "Je suis de la même sueur qu'eux", a-t-elle coutume de répéter. »

« Vous l'avez connue au pavillon des contagieux. Vous vous étiez aperçue, comme vous me l'aviez dit, qu'elle ne crachait pas sur le vin rouge. À la Libération, son intempérance avait pris des proportions alarmantes et le directeur de l'hôpital m'avait discrètement demandé son remplacement. Je la chapitrai et l'expédiai dans une sous-préfecture de la Sarthe. Elle paraissait s'être amendée. »

« Le 11 novembre 1948, elle arracha à sa supérieure la permission de participer au banquet des anciens combattants, à l'issue des cérémonies marquant le trentième anniversaire de l'armistice de la Grande Guerre. Rien ne se serait produit si ses deux voisins de table ne s'étaient malignement amusés à remplir ses verres au fur et à mesure qu'elle les vidait. Vers la fin du repas, il lui fallut s'éclipser un moment. Elle s'égara dans les sous-sols et pénétra dans le local où les musiciens de l'orphéon municipal avaient déposé leurs instruments. Elle s'empara d'un cornet à pistons et en rejoignant la salle des agapes attaqua, couacs à la clé, une approximative « Madelon » au moment même où le sous-préfet entamait son discours. Croyant à un coup monté, il prit fort mal la chose et l'on dut reconduire dare-dare sœur Léontine à son couvent. »

« Le journal "bien-pensant" dénonça le fâcheux relâchement de la discipline dans les maisons religieuses et l'exemple déplorable offert aux jeunes filles de la ville. La feuille "avancée" titra son article "Cornets et

Cornettes", fit allusion aux vignes du Seigneur et au vin de messe, invoqua pêle-mêle Orphée et sainte Cécile, Bacchus et saint Bernardin. Ce n'était finalement ni bien méchant, ni si mal tourné, mais l'évêché s'émut, et le vicaire général me suggéra d'exiler la fautive dans un autre département. »

« Je pris ma plus belle plume pour rappeler au maire et au sous-préfet la popularité dont jouissait la religieuse dans les bas-quartiers, la part active qu'elle avait prise à la résistance et sa conduite au front pendant l'autre guerre. Le sous-préfet, galant homme, me pria, dans une lettre pleine d'esprit, d'excuser le mouvement d'humeur auquel il s'était laissé aller, et forma le vœu que l'héroïque infirmière de 1918 ne lui en tienne pas rigueur. Le maire, au nom de tous ses concitoyens, m'adressa un éloge dithyrambique de la "vénérée sœur Léontine". Forte de ces deux réponses, je demandai à l'évêché, avec la déférence convenable, s'il jugeait vraiment nécessaire de punir les pauvres de la ville, en les privant de la charité exemplaire de l'imprudente. »

« Je fis comparaître la coupable, lui reprochant, dans mes remontrances, d'avoir donné notre costume en spectacle. Contrite, elle reconnut l'erreur qu'elle avait commise en assistant à ce repas et elle me jura, sur sa médaille militaire, qu'elle ne boirait, à l'avenir, jamais plus d'un verre de vin par jour. »

« Lorsque je lui demandai quelle mouche l'avait piquée pour l'inciter à faire la clownesse avec un cornet à pistons, elle me répondit que son père l'avait inscrite, toute jeune, dans l'harmonie des mineurs de sa ville natale et qu'elle avait appris à jouer de plusieurs instruments à vent. »

« Je n'aurais pas dû, je crois, attacher à cette histoire plus d'importance que n'en méritent les fariboles agitant périodiquement ces parcelles de Clochemerle insérées à perpétuelle demeure au sein de nos petites villes et de nos campagnes. »

« En invoquant une sorte de droit de réponse, je réussis à convaincre le directeur du journal "bien-pensant" de publier dans un prochain numéro le texte de la citation accompagnant la remise de sa médaille militaire à la jeune infirmière de 1918. Il voulut bien me promettre également d'évoquer, le 8 mai suivant, quatrième anniversaire de l'armistice de 1945, les dangers qu'avait courus sœur Léontine en prenant une part active à l'organisation et au fonctionnement du réseau destiné à aider les survivants des aviateurs alliés « descendus » dans le Nord, à regagner la Grande-Bretagne. »

« Les mauvaises langues pouvaient bien appeler l'une de nos religieuses “La Mère Roule-Barrique”, l'honneur de notre communauté était sauf. »

XXIII

La santé de Mère Irène avait paru se stabiliser. Tout en s'en félicitant, son médecin s'interrogeait sur la valeur des analyses sur lesquelles s'était fondé son diagnostic.

En mai 1961, les progrès du mal s'accusent. La figure de la religieuse se décharne, son teint vire au jaune cire. Elle se recroqueville. Sa puissance de travail s'amenuise. Dès le milieu de l'après-midi, elle monte « se reposer » dans sa cellule. Ses entretiens avec Flora s'espacent. Le 6 septembre, elle ne put quitter son lit. Le 8, elle rendait son âme à Dieu.

La cérémonie funèbre se déroula dans la cathédrale de la ville où était sise la maison-mère. Flora éprouva la certitude que cette messe de funérailles était celle que la défunte aurait souhaitée.

Non point à cause de la brillante assistance qui se pressait dans la nef, neveux et nièces, cousins et cousines, amis venus de Paris, de Flandre et du Dauphiné. Les élus et les hauts-fonctionnaires de la région s'étaient dérangés. Un cardinal, plusieurs évêques occupaient les stalles du chœur.

Mais parce que toutes les religieuses de la congrégation étaient là, unies dans un impressionnant recueillement, et qu'une foule de pauvres gens s'agglutinait dans l'édifice. Il en était venu du Finistère et des Côtes-du-Nord, du Calvados et de la Manche, du Morbihan, de la Sarthe et de la Loire-Inférieure...

Le *Requiem*, le *Dies Irae*, le *Libera me* chantés par la chorale bouleversèrent l'assistance.

Nul souci des responsabilités qu'elle devrait, peut-être, assumer prochainement ne vint effleurer Flora.

Au comble de l'émotion, envoûtée par la beauté de l'office, ensevelie dans le souvenir de Mère Irène et dans l'invocation de ses propres défunts, elle pressentait, cependant, que ces funérailles marqueraient pour elle un tournant majeur de sa destinée.

La plupart des religieuses s'attendaient à ce que Flora soit présentée à leurs suffrages pour assurer la succession de Mère Irène. Le nom de sœur Émilie fut le seul à être mis en avant.

La nouvelle supérieure générale pria Flora de regagner son couvent. Elle ne pourrait revenir à la maison-mère qu'après y avoir été convoquée.

Pendant toute la durée du concile, rien de notable ne vint troubler la marche de la congrégation. Adjointe au rapporteur d'une importante commission de Vatican II, Mère Émilie passait le plus clair de son temps à Rome, et lors de ses rares séjours au siège de la communauté l'énorme travail de compilation et de rédaction qui reposait sur elle l'absorbait entièrement. Les supérieures locales agissaient dans le cadre des délégations formelles ou implicites que Mère Irène leur avait octroyées. La vie se poursuivait sur sa lancée.

Lorsqu'en 1966, Mère Émilie prit effectivement les choses en main, le climat ne tarda pas à changer. Dans la louable ambition de laisser son nom attaché à « l'aggiornamento » du rôle et des moyens d'action de la congrégation, soucieuse d'affirmer une immédiate et indiscutable autorité, elle s'attaqua d'emblée à ce qui lui tenait le plus à cœur : la modification du costume, la modernisation du répertoire de la chorale, la réforme du noviciat.

L'habit se transforma, la cornette disparut, le voile se rétrécit, les robes perdirent leur galbe, tombèrent droit, se raccourcirent, « trop longues pour le jour, trop courtes pour le soir », dauba Flora, reprenant à son compte le mot de la commère d'un hebdomadaire parisien des années 30 brocardant gentiment la soutane d'un cardinal membre de l'Académie française. Cette première réforme suscita des réticences. Arguant du gaspillage qui résulterait de l'abandon prématuré d'effets en bon état, nombre de religieuses âgées ou plus jeunes conservèrent, à l'instar de sœur Léontine, leur ancien costume. Les critiques les plus acerbes émanèrent des pauvres et des malades. On ne reconnaissait plus les sœurs ; on ne saurait bientôt plus à qui l'on aurait affaire.

Les premières répétitions de « negro-spirituals » chantés en français ne répondirent pas aux attentes de la Mère. Elle ne voulut plus entendre parler de la chorale et réduisit sa participation aux offices.

Le régime du noviciat fut amendé. On estimait que les exercices spirituels faisaient perdre beaucoup de temps, on les écourta. Les novices furent envoyées, en costume laïc, effectuer des stages dans les usines, les grands magasins, les exploitations agricoles. Elles devaient être mises, le plus tôt possible, au contact des réalités sociales de l'heure.

En son for intérieur, Flora pensait que ces foucades n'entraîneraient pas de conséquences irréversibles. Le temps est galant homme. Il sait atténuer les exagérations, rendre absurdes les outrances. Elle accordait une certaine indulgence à la nouvelle « patronne ». Elle retrouvait, dans son implacable labeur, dans la rigueur de sa logique, dans ses méthodes de raisonnement une part du comportement dont Max Jacob et Saint-Pol Roux avaient, grâce à Dieu, réussi à la délivrer. Tout en lui reprochant d'avoir trahi l'esprit même de la règle en écourtant les prières nocturnes, Flora partageait son souci d'étendre le champ et de rénover les modes d'action des sœurs.

En dix ans, la société s'était transformée. Dans les jeunes couches de la population, la misère avait régressé. L'essor de la construction immobilière, la généralisation des crédits d'accession à la propriété, la multiplication des lits d'hôpitaux, le développement des équipements ménagers changeaient les conditions d'existence. Sous peu, la clientèle des sœurs se limiterait à cette tranche de vieilles gens qu'ignorait encore la Sécurité sociale. L'assistance offerte aux vieillards ne suffirait plus à occuper complètement les religieuses. Elles pourraient employer leur temps disponible en allant aider les prêtres des paroisses. Pourquoi n'iraient-elles pas prêter main forte, l'été, aux colonies de vacances ? Et pourquoi n'enverrait-on pas certaines d'entre elles dans le tiers-monde, pour contribuer à la réhabilitation des régions les plus déshéritées ? Des rumeurs prêtaient à Mère Émilie le projet de créer des écoles en Afrique Noire. Grâce aux initiatives de la nouvelle équipe, la situation financière de la congrégation présentait des plus-values considérables ouvrant la possibilité de participer largement aux investissements nécessaires.

Flora s'était mise à rêver : le continent africain, l'ouverture de classes organisées à son idée, le contact avec des adolescents, des enfants, les relations avec leurs familles... elle partirait volontiers.

Elle fit part ingénument à la Mère de sa candidature lorsqu'elle vint visiter son couvent pour la première fois. On lui répondit que rien encore n'était décidé et que, de toute manière, il ne fallait pas qu'elle prenne ses désirs pour des réalités : elle ne figurerait jamais sur la liste des partantes.

On lui fit également observer que l'on n'appréciait pas la « résistance passive » dont elle faisait preuve en ne revêtant pas, pour la venue de la supérieure générale, le nouveau costume. On n'appréciait pas du tout, mais alors pas du tout, les traits d'esprit de la commère parisienne et le mauvais esprit de la religieuse qui les avait ébruités.

Puisque la sœur se targuait de si bien connaître la règle, ajoutait la « patronne », elle se devait d'observer rigoureusement les dispositions relatives à l'obéissance et à l'humilité. La Mère était au regret d'avoir à les lui rappeler. La supérieure générale excusait, dans une certaine mesure, l'attitude de la rétive en la portant au passif de l'amertume qu'elle avait dû ressentir, en se voyant préférer par l'ensemble des communautés une autre personne qu'elle pour remplacer la défunte Mère Irène.

En juin 1968, la foudre tomba sur la maison. Une circulaire d'une rare sécheresse annonçait l'imminence d'une profonde réforme.

Plusieurs communautés seraient dissoutes, leurs immeubles aliénés. Leurs membres porteraient des vêtements laïcs. Elles résideraient dans la ville de leur couvent ou dans d'autres cités. Elles logeraient dans des locaux que leur procurerait la maison-mère. Elles seraient tenues de travailler pour gagner leur vie, elles devraient, néanmoins, reverser une partie de leur salaire à la congrégation.

Elles accompliraient individuellement leurs devoirs religieux dans l'église de leur quartier, mais elles se réuniraient chaque samedi, en fin d'après midi, dans l'une des paroisses de leur résidence pour suivre l'office en commun et assister à une conférence.

Les sœurs âgées se regrouperaient à la maison-mère, dans l'aile voisine des locaux du noviciat. Elles seraient autorisées à continuer à revêtir l'ancien habit. Un aumônier leur serait attaché.

La nouvelle stupéfia Flora. Son couvent disparaîtrait le premier, elle n'en fut qu'à moitié étonnée. Les supérieures des communautés visées tentèrent en vain de rencontrer la Mère : elle ne recevait personne, ne répondait pas au téléphone. Certaines mirent en cause les « errements » conciliaires. Le concile n'avait rien à voir à l'affaire. Deux lettres de Pierre Ducros révélaient confidentiellement à Flora les véritables raisons du chambardement.

La Mère Émilie était venue le voir à Paris. En compulsant les dossiers relatifs aux dots des novices, elle était tombée sur la correspondance échangée entre la précédente supérieure générale et lui, à propos de la rente constituée au profit de la congrégation à partir des intérêts du capital déposé en Suisse par George O'Brian. La Mère avait ainsi pu se procurer l'adresse de son cabinet et, pour obtenir un rendez-vous, elle s'était recommandée sans vergogne de Flora.

Sa secrétaire avait introduit dans son bureau une religieuse bizarrement accoutrée, donnant des signes inquiétants d'agitation. Elle le mit au courant de la situation. Elle s'était faite arnaquer et de belle manière. Elle ne savait comment avouer aux anciens conseillers de Mère Irène l'escroquerie dont la congrégation venait d'être la victime.

À Rome, elle s'était entichée d'un jeune analyste financier milanais. En 1967, il la prévint de son affectation au siège parisien de la succursale d'une grande banque italienne. Elle l'appela bientôt pour recueillir son avis sur la composition du portefeuille de valeurs mobilières de la communauté. Il se gaussa discrètement de la pusillanimité des vieux messieurs qui assistaient Mère Irène et conseilla à la Mère Émilie d'effectuer quelques « allers et retours » spéculatifs qui se révélèrent particulièrement profitables.

Se découvrant du coup l'âme et la compétence d'une banquière, la Mère écarta, les uns après les autres, les conseils en place et prétendit gérer seule les finances de la maison.

Elle se lassa bien vite de cette tâche absorbante et finit par confier au brillant jeune homme le soin d'arbitrer les placements. Elle lui signa, presque sans la lire, la procuration générale qu'il lui présenta.

Sans être colossale, la fortune mobilière de la congrégation était importante. Alimentée par les dots des religieuses, les dons et legs, et le réinvestissement d'un pourcentage important des fruits du capital, ses revenus assuraient l'entretien des bâtiments et la subsistance des sœurs, capables dès lors de dispenser gracieusement leurs peines et leurs soins.

Fort de sa procuration, consentie *intuitu personae* et non point *ès qualité*, le beau parleur opéra en trois temps. Il ouvrit, au nom de la congrégation, un compte titres à sa banque et fit signer à la Mère une lettre donnant ordre à son agent de change de transférer sur ledit compte la totalité des valeurs mobilières que la maison avait déposées chez lui.

L'agent de change s'étonna et adressa des remontrances fermes et courtoises à la supérieure générale. Quelque peu ébranlée, elle convoqua l'analyste. L'aigrefin n'eut aucun mal à rassurer l'incapable. Des rumeurs fâcheuses couraient sur la solidité de la charge à laquelle Mère Irène avait eu l'imprudence de s'inféoder. D'ailleurs, le ton et les termes de la missive de l'agent de change trahissaient son désarroi. Puis il le prit de haut. Si la Mère souhaitait revenir au *statu-quo ante*, il s'effacerait. Il fit mine de déchirer sa procuration.

La Mère se récria. Elle le remerciait de ses mises en garde. La réputation de prudence de la supérieure à qui elle avait succédé était bien usurpée. Il avait toute sa confiance. Elle le priait instamment de continuer à la seconder. Mieux encore, elle acceptait sa suggestion de le voir se substituer à l'expert fiscal qui rédigeait, depuis des années, les déclarations d'impôts des communautés.

Très habilement, le sémillant escroc vint, un peu plus tard, solliciter l'avis de la Mère. Un problème le tracassait. Il était, certes, plus commode de placer l'ensemble des titres sur un seul compte. Sa banque présentait toutes les garanties désirables ; toutefois, elle ne bénéficiait pas de celles de l'État français. Il est judicieux de ne pas contrevenir à la sagesse proverbiale. Mettre tous ses œufs dans le même panier comporte un risque. Il se demandait s'il ne serait pas préférable d'éparpiller les valeurs entre un certain nombre d'établissements de premier ordre. La gestion de plusieurs comptes lui occasionnerait, évidemment, un peu plus de travail. Mais le jeu en valait la chandelle ! Qu'en pensait-elle ? Il ne voulait rien faire sans lui en avoir parlé au préalable et il se conformerait, bien entendu, à son sentiment. Elle préféra, d'instinct, la seconde solution. Le deuxième temps de l'arnaque était acquis.

Une fois ces valeurs réparties entre différents établissements bancaires provinciaux, leur réalisation à des cours favorables n'attirerait pas l'attention. Le troisième temps coulait de source.

L'arnaqueur était en cheville avec une dizaine de complices titulaires chacun de plusieurs comptes de dépôts. Il suffisait, en une semaine, de ventiler sur ceux-ci le produit de la vente des titres de la congrégation, puis d'en opérer le retrait et le tour était joué. Les compères n'auraient plus qu'à s'égayer dans la nature sous de nouvelles identités.

Le bon apôtre se rendait chaque semaine à la maison-mère, avec une liasse de bordereaux établis sur papier à en-tête de sa banque, faisant accroire à la Mère qu'elle disposait d'un somptueux portefeuille de valeurs françaises et étrangères.

À chacune de ses visites, il apportait, en numéraire, le montant supposé des coupons détachés des titres qui figuraient sur ses faux bordereaux.

Il persuadait l'innocente que cette remise d'espèces en mains propres lui éviterait de régler des agios exorbitants et la dispenserait de remplir des formulaires administratifs superfétatoires. N'importe quoi. Le scénario se serait déroulé sans accrocs si, dans le plus grand secret, la Mère n'avait décidé, à la fin du mois de décembre 1967, d'accorder la caution de la congrégation à une entreprise projetant de construire des écoles dans les pays sous-développés. Compte tenu de l'importance du programme, les banquiers de la firme exigèrent que cette garantie soit assortie du nantissement d'une large part des valeurs mobilières détenues par la communauté.

La Mère convoqua son jeune ami pour lui demander d'effectuer les démarches nécessaires. L'arnaqueur lui reprocha vivement de ne pas l'avoir alerté avant de souscrire un pareil engagement. Il lui conseilla de réduire de moitié le montant de sa promesse et de convaincre l'entreprise de solliciter d'autres garants pour la compléter.

C'était mal connaître Mère Émilie. Les projets de l'entrepreneur l'avaient séduite. Ils répondaient à des préoccupations essentielles à ses yeux. Ce maudit argent servirait, pour une fois, à des choses utiles. Elle réitéra son ordre. Le jeune homme s'inclina.

Une semaine, deux semaines s'écoulèrent sans que l'aimable analyste donnât signe de vie. L'entrepreneur s'impatientait. N'y tenant plus, la Mère se rendit à Paris. Le directeur de la succursale italienne se confondit en excuses. Son fondé de pouvoirs avait levé le pied sans laisser d'adresse. L'enquête, à laquelle il a immédiatement fait procéder, vient de révéler que tous les comptes de province crédités du produit des ventes des valeurs de la congrégation ont été récemment vidés. Il a lancé la police aux trousses de l'escroc.

La pauvre Mère s'affola. Sa trésorerie allait vite s'épuiser : comment pourrait-elle assurer la vie des communautés ? Elle mourrait de honte si elle confiait sa déconfiture aux anciens conseillers de la maison.

La congrégation disposait d'un patrimoine immobilier considérable : l'aliéner la contraindrait à reloger ses sœurs ; l'hypothéquer signifierait que l'on mangerait son blé en herbe.

S'armant de tout son courage, Mère Émilie retourna à Paris et entreprit, seule, le tour des principales agences immobilières de la capitale. On lui chanta partout la même antienne : à moins de les brader dans des conditions désastreuses, elle ne pourrait jamais réussir à vendre, dans de très courts délais, les bâtiments et les terres qu'elle se proposait de mettre sur le marché.

Le salut vint d'un promoteur qui lui proposa d'échanger un certain nombre de ses immeubles et de ses terrains, contre des studios qu'il avait en stock à Paris et dans plusieurs villes de l'Ouest.

Elle reprit contact avec Pierre Ducros. Par bonté d'âme, il consentit à la renseigner sur l'aloi du détenteur des studios : jusqu'à présent, il n'avait rien commis de répréhensible. Il lui indiqua l'adresse d'un cabinet d'experts de bonne réputation, auquel elle pourrait demander de procéder à l'évaluation des termes de l'échange. À l'issue d'une première étude, Ducros obtint du promoteur qu'il verse rapidement à la congrégation un acompte appréciable sur la somme qui équilibrerait la transaction. Cette soulte providentielle permettait à la supérieure générale de différer l'annonce de sa « réforme » jusqu'au mois de juin 1968, et d'en fixer la date d'application au 21 septembre.

XXIV

La circulaire du mois de juin avait fait vaciller la congrégation. L'annonce du jour de la « prise d'habit civil » accentua le malaise. Une bonne moitié des religieuses concernées acceptèrent l'inéluctable. Les autres, choquées, déconcertées, voire heureuses d'être libérées s'en furent aussitôt sans demander leur reste.

Certaines se réfugièrent dans des ordres contemplatifs, d'autres se marièrent, d'autres disparurent purement et simplement. La Mère ne souffla mot de ces départs.

Ses atavismes irlandais et « parigots » entretenaient la révolte de Flora. Elle fulminait ! Leur supérieure n'avait pas eu la loyauté d'avouer à ses filles les raisons de sa faillite. Elle entendait Mère Irène déclarer : « Lorsque l'on s'est persuadé que les notables établis ne sont pas des gens fréquentables, on devient bien vite la proie des aigrefins. »

Comme dans la plupart des crises, des incidents burlesque jaillirent çà et là. La prise de bec de la sœur Léontine et de la Mère Émilie fut, paraît-il, homérique ! Flora, comme bien d'autres religieuses, tenait ses cheveux presque ras. Elle demanda à la maison-mère de retarder de quelques semaines l'abandon du costume pour tenir compte de la lenteur des repousses capillaires. On se montra inflexible. Une date était une date. On ne bousculera pas le calendrier de la réforme pour une question ridicule de toison. On palliera cette difficulté en commandant un assortiment de postiches à un perruquier.

Une chevelure rousse échut à Flora. L'image sordide reflétée par le miroir l'exaspéra. La Mère lui devint odieuse. Elle mijota une pantomime susceptible de reporter sur elle une part de la dérision que son impéritie infligeait aux autres.

Au cours d'une récréation, elle improvisa le rôle d'une nonne fatale, caricaturant les tics et les tournures de phrase de la « patronne ».

Alertée par les rafales de rires, la supérieure entrouvrit la porte. Interloquée, elle mit quelques minutes à comprendre ce dont il s'agissait :

— « Ma sœur, vous outrepassez les bornes... Je vous prie de cesser immédiatement cette comédie ridicule et inconvenante ! »

Pour la première fois de sa vie religieuse, Flora marqua le pas avant de se soumettre.

— « Ma Mère, avec tout le respect que je vous dois et toute l'estime dont nous vous entourons, lorsque, tôt ou tard, nos sœurs et vous-même apprendrez pour quelles raisons nous sommes jetées dehors, vous trouverez bien indulgente cette saynète qui nous fait rire, alors que nous avons toutes envie de pleurer. »

Dans un silence impressionnant, Flora prit tout son temps pour bisser son numéro.

Le 21 septembre, les religieuses encore présentes dans les couvents condamnés furent convoquées à la maison-mère. Le spectacle offert par ces nonnes en vêtements de ville présentait un caractère tragi-comique. Elles ressemblaient aux rescapées d'un naufrage à qui la charité publique, les particuliers, les maisons de couture et les magasins de confection à bon marché auraient fait l'aumône de fripes ou d'articles déclassés.

Les différences d'âge et d'origine sociale des sœurs s'accusaient sans nuances. Héritant d'ensembles et de tailleurs de bonne coupe, conseillées par des parentes dans le vent, les plus huppées avaient déjà retrouvé leur allure. L'une d'elles s'était défaite de sa perruque et dissimulait son cuir chevelu sous un carré Hermès de teinte sombre. Trop d'autres s'étaient fagotées dans des hardes sans grâce. Quelques-unes affublées d'effets criards et tapageurs parsemaient le groupe de taches de couleurs extravagantes aussi poignantes que pourraient l'être des lambeaux de toiles découpées dans les « Carnavals » d'Ensor.

Flora avait souhaité résider à Paris. Elle bénéficia, au rez-de-chaussée d'un immeuble neuf, situé dans la périphérie du XVIIe arrondissement, d'une minuscule chambre assortie d'une kitchenette et d'un cabinet de toilette comportant une douche. Le concierge arborait une ineffable bobine de faux témoin.

Elle se lança à la recherche d'un emploi. Il lui fallait d'abord s'habiller. La manière dont se présente une femme de cinquante-deux ans en quête d'une situation à Paris a presque autant d'importance que les compétences dont elle peut se prévaloir. Elle collectionna les journaux de mode, fit le tour des magasins et des boutiques de la rue de la Paix, de la place Vendôme et du faubourg Saint-Honoré pour étudier l'apparence, les gestes et le ton des vendeuses de son âge. Elle prit rendez-vous chez un grand coiffeur, lui prétendit que la typhoïde dont elle relevait l'avait obligée à sacrifier sa chevelure. On lui confectionna une élégante perruque. Elle la coiffait à la perfection, elle était également hors de prix.

Elle avait conservé sa ligne, retrouvé la démarche qu'imprime, à jamais, l'apprentissage de la danse classique, réappris à se maquiller ; elle redevenait parisienne.

Elle téléphona à Pierre Ducros pour lui annoncer sa visite et le prier d'alimenter régulièrement le compte qu'elle venait de se faire ouvrir à la Société Générale.

La plupart des sœurs aiguillées vers Paris se recasèrent aisément : vendeuses dans des boulangeries, aides-soignantes dans des cliniques, facturières dans des garages, ouvrières dans des ateliers de confection, elles avaient trouvé chaussures à leur pied. Elles s'étaient opportunément rappelé leurs cousinages angevins, bretons ou normands. On les prit en pitié. Les solidarités familiales et provinciales jouèrent d'autant plus volontiers que leurs prétentions étaient modestes.

L'ambiance parisienne les déroutait. Elles regrettaient leur vie en commun. Les conférences du samedi prévues dans la réforme les assommaient. Elles les désertèrent bientôt pour se retrouver dans un foyer breton proche de la gare Montparnasse. Le vieil aumônier savait les écouter, les comprendre, les intéresser et employer utilement leur bonne volonté. Ce fut là leur chance et leur salut.

Dans la paroisse de son quartier, Flora eut vite fait de réaliser que l'on ne l'avait pas attendue pour mettre en place et étoffer les œuvres et les services essentiels. Des équipes bien charpentées n'entendaient pas de sitôt lui donner voix au chapitre. Cet accueil mitigé fit charbonner la flamme de ferveur qui vacillait encore en elle.

Elle a pris son studio en grippe. Sa situation excentrée, son exiguïté, son manque de placards la rebutent. L'insonorisation de l'immeuble est déplorable, elle perçoit tout ce qui se passe dans le local voisin de sa chambre. Elle s'est rendu compte que le concierge le loue à l'heure ou à la demi-journée à des couples en mal d'épanchements.

Un soir, huit ou dix personnes s'y étaient réunies. Elle entendait vaguement, de son lit, la voix d'un metteur en scène distribuer les rôles, placer les personnages, régler les mouvements et les rythmes, modifier l'ajustement des effets. Une troupe d'amateurs répétait, sans doute, un lever de rideau.

Elle se dressa, colla l'oreille contre la cloison. Elle ne fut pas longue à prendre conscience de la nature du scénario. Son cœur s'emballa. Le sang gonflait la racine de ses cheveux. Sa poitrine s'était durcie comme de la pierre. Des flux de désir ondulaient dans ses flancs. Une tentation irrésistible lui commandait d'aller frapper à la porte voisine pour quémander son entrée dans la danse.

Elle se ressaisit, se rua sous la douche, ouvrit en grand le robinet d'eau froide, se frictionna au gant de crin, s'habilla et sortit arpenter à grandes enjambées les avenues voisines.

Le lendemain, elle retint pour deux mois une chambre donnant sur le calme d'une cour dans un « hôtel de famille » du quartier Saint-Sulpice. Elle fit l'acquisition de deux valises, héla un taxi, pria le chauffeur de l'attendre vingt minutes devant l'immeuble de son studio, emprunta au concierge la seconde clé du logement, le prévint qu'elle s'absenterait quelque temps et lui donna l'adresse à laquelle il devrait faire suivre son courrier. Elle boucla promptement son bagage, domina son envie de briser le miroir surmontant le lavabo, de détraquer la douche, de lacérer le matelas. Elle décida toutefois de garder les deux clés pour les jeter dans une bouche d'égout.

Elle alla rechercher le concierge pour qu'il l'aide à porter ses valises jusqu'au taxi. Il tendit la main. Il se moquait d'elle. Il était hors de question de lui donner un pourboire. En le fixant, elle le menaça de déposer une plainte au commissariat de police pour le tapage nocturne très spécial de la veille, s'il apportait le moindre retard à réexpédier les lettres qu'elle attendait.

À l'hôtel, elle écrivit à la Mère Émilie pour lui reprocher de l'avoir logée dans une maison de passe.

Elle la priait de ne plus lui adresser désormais ses circulaires infantiles. Maître Pierre Ducros allait cesser de lui servir les revenus afférents à sa dot.

Elle terminait sa lettre en formant le vœu de ne plus jamais entendre parler d'elle.

XXV

Les revenus du legs de George O'Brian auraient permis à Flora de mener, sans rien faire, une existence confortable. Elle savait, cependant, fort bien que, faute de se soumettre à la discipline d'un travail régulier, sa vie n'aurait plus aucun sens.

La recherche d'un emploi s'avérait ardue. Elle répondait à des dizaines de petites annonces, courait les lieux d'embauche. Elle tombait parfois sur des sous-chefs du personnel désarmants de prétention et de suffisance, l'obligeant à subir des tests ressortissant à une psychologie américaine mal digérée. La même antienne clôturait les entretiens : son âge constituait un handicap insurmontable.

De guerre lasse, elle fit le tour des offices de travail intérimaire. La chance finit par lui sourire. La directrice de l'un de ces organismes, une dame Louise Robert, la reçut elle-même. Les deux femmes sympathisèrent, bavardant de tout et de rien, s'amusant à passer alternativement du français à l'anglais. Une monitrice invita Flora à entrer dans la pièce voisine, la fit s'asseoir devant une machine à écrire, lui montra le fonctionnement d'un magnétophone et lui demanda de dactylographier l'enregistrement d'une dictée en langue anglaise. La postulante se tira honorablement de cette épreuve.

Dès son retour dans le bureau de la directrice, la conversation reprit son cours. Plus elle se prolongeait, mieux s'ancrait dans l'esprit de l'une et de l'autre la certitude de s'être déjà vues. La lumière jaillit enfin !

Besançon, novembre 44, l'état-major des personnels féminins de la 1re Armée ! C'est Louise Robert qui l'avait conduite en « Jeep » au magasin d'habillement !

C'est elle qui avait mené la claque à l'issue de sa présentation de la mode militaire féminine 44-45.

Elles déjeunèrent ensemble chez « Joseph » au coin de la rue François Ier. Louise Robert développa les raisons de la réussite de son affaire. Elle avait débuté modestement en s'escrimant, quasi-bénévolement, à procurer des emplois à mi-temps à des veuves de guerre tenues de s'occuper de leurs jeunes enfants. Le jeu consistait à les diriger vers les entreprises où survenaient des pointes d'activité imprévues.

Son mérite fut de se montrer exigeante, en obtenant des personnes, qui eurent recours à elle, une disponibilité sans faille ainsi qu'une discrétion professionnelle absolue. Elle avait également su persuader ses protégées de suivre, le soir, des cours techniques de qualité. Enfin, elle avait pu convaincre les patrons d'offrir à ces femmes des horaires adaptés à l'emploi du temps de leur progéniture.

Cinq ans plus tard, la dame Louise ne savait plus où donner de la tête. On ne lui réclamait plus seulement des personnels de complément pour éponger un afflux de travail, mais aussi des remplaçantes qualifiées pour suppléer des cadres ou des employées en congé de maternité ou en longue maladie. Il pouvait advenir que l'emploi temporaire se transforme en une situation permanente, lorsque la remplaçante avait su se faire apprécier.

Sa clientèle patronale en était venue à la considérer comme un chasseur de têtes. Depuis quelque temps, on la pressait souvent de dénicher l'oiseau rare.

Flora ne fut pas longue à deviner que les propos de Louise énonçaient des règles auxquelles il lui faudrait se plier, si elle entendait bénéficier de ses services.

Louise estimait que Flora pourrait prétendre à un poste de secrétaire de direction générale au sein d'une firme de premier plan, à une double condition. En premier lieu, d'être devenue une sténographe accomplie, en second lieu, et Louise enfourchait là son cheval de bataille favori, d'avoir réussi à s'insérer dans la toile d'araignée tissée par les communications téléphoniques des secrétaires de direction de la région parisienne. Une loi du « donnant-donnant » régit implicitement ces échanges. Si l'une de ces dames néglige, par trop souvent, de rappeler dans des délais convenables ses correspondantes pour leur passer son patron, elle s'expose à des représailles plus ou moins conscientes de ses consœurs, la mettant à son tour dans l'impossibilité d'établir les contacts que son propre directeur désire obtenir d'urgence.

Sans se presser, elles retournèrent à pied au bureau de Louise pour compulser le fichier des urgences. Une agence de voyages du boulevard de Courcelles réclamait une suppléante pour une semaine. Louise conseilla à Flora d'aller s'y présenter de sa part dans les heures qui suivraient.

Six mois durant, Flora dut accomplir de multiples intérims dans cette branche. Elle ne savait si elle entrait ainsi dans le circuit des secrétaires parisiennes cher à la dame Louise, du moins apprenait-elle à jongler avec trois téléphones pour réserver des places d'avion et de chemin de fer, louer des corbeilles ou des fauteuils d'orchestre, tout en s'entretenant avec le monsieur indécis qui, penché sur son comptoir, la pressait de lui préparer des itinéraires abracadabrants. Chaque soir, elle suivait consciencieusement les cours de sténo dispensés chez Berlitz.

À sept heures du matin, le second lundi du mois de mai 69, Louise téléphona à Flora pour la prier de se rendre, deux heures plus tard, 6 rue Taitbout, au siège d'une société de services dont le président lui avait demandé, l'avant-veille, de lui procurer une secrétaire bilingue franco-anglaise. Il s'agissait d'un bureau qui prenait en charge les problèmes administratifs, financiers et juridiques que pouvaient poser, à des entreprises de moyenne importance, les affaires d'import-export.

Un jeune chef du personnel tique sur son âge mais, après un quart d'heure d'entretien, l'agrée. Il la plaçe sous la coupe de la secrétaire personnelle du PDG M. Philippe Thoiry, pour une période d'essai de trois mois.

L'après-midi, M. Thoiry l'appela pour lui dicter une note. Il était en train de feuilleter son agenda lorsqu'elle pénétra dans son bureau. Sans lui accorder un regard, il lui fit signe de s'asseoir. Bloc-notes sur ses genoux, crayon aux lèvres, Flora examina la pièce. La teinte neutre du papier recouvrant les murs, la géométrie rigoureuse du bureau et d'une grande table de métal et de verre, le cuir gris des fauteuils et des chaises, le blanc cassé de la moquette n'accrochaient pas l'œil. Cette nudité était-elle voulue pour que rien ne vienne distraire les visiteurs de l'objet de l'affaire à examiner ou bien, marquait-elle la froideur d'un caractère féru de spéculations abstraites ?

Thoiry redresse la tête et se met à dicter. Il va vite, s'interrompant, de temps à autre, pour lui demander de relire le dernier passage. Il améliore la tournure d'une phrase, substitue un mot à un autre, se fait répéter le nouveau texte, poursuit plus avant.

Le téléphone sonne, il décroche. Flora se lève. D'un geste de la main, il lui signifie de ne pas bouger. Elle écoute malgré elle la conversation en cours. À l'autre bout du fil le correspondant dévide, lui semble-t-elle, une kyrielle de griefs. Elle voit son président noter nerveusement un numéro de téléphone, l'entend répéter un nom en se le faisant épeler : R.o.b.e.r.t. W.a.l.c.k.e.r., oui, avec un c et un k, merchant-banker, Blomfield Street, Londres.

L'entretien s'éternise, Flora croit comprendre que la garantie de ce banquier est la condition *sine qua non* de la conclusion d'une affaire en cours et qu'il vient de la refuser.

Thoiry a raccroché. Il pianote de ses dix doigts sur le rebord de son bureau, ferme les yeux pour retrouver le fil de sa lettre, lui demande où elle en est de la dictée puis, l'esprit ailleurs, reprend son pianotage.

Flora profite de ce répit pour lui dire, en le priant de l'excuser de cette indiscrétion, qu'elle pense connaître ce Mister Robert Walcker, avec un c et un k n'est-ce pas ? S'il s'agit bien du même, elle se fait fort d'obtenir rapidement un rendez-vous et, peut-être même, de le faire venir à Paris dans la semaine.

Philippe Thoiry paraît lui prêter attention mais avec l'air de se moquer franchement d'elle. Il lui tend le téléphone et le papier sur lequel il a griffonné le numéro. Il s'est saisi du second écouteur.

Londres est en ligne.

– « La secrétaire de Mr Robert Walcker ? »

– « Elle-même. »

– « Mr Robert Walcker a bien commandé une escadrille de Spitfires pendant la guerre ? »

– « Oui, je pense. Mais pour quelle raison me demandez-vous cela ? En quoi cela vous importe-t-il ? Qui êtes-vous, que désirez-vous ? »

– « Si Mr Walcker est là, seriez-vous assez aimable pour me mettre en communication avec lui ? »

– « Définitivement non, tant que vous ne m'aurez pas donné votre nom et le motif de votre appel ! »

– « Permettez-moi d'insister ! Veuillez annoncer à Mr Walcker que c'est “Nun Nobody” qui le demande. Je suis tout à fait sûre que si vous ne me le passez pas, il vous témoignera son mécontentement lorsqu'il recevra le télex que je vais lui envoyer pour le prier de me rappeler ! »

– « Miss Nobody ! » tempête une voix masculine,

« De qui vous moquez-vous ? Je déteste les “practical jokers”, surtout quand ce sont des bonnes femmes !!! »

L'écouteur collé à l'oreille, Philippe Thoiry s'amuse pour de bon. Son air sarcastique laisse présager que la nouvelle ne fera pas long feu rue Taitbout.

Flora s'époumone :

— « Je ne suis pas Miss Nobody. Je suis "Nun Nobody". Votre secrétaire ne me semble pas très perspicace ! »

— « Nun Nobody ! Dearest Nun Nobody ! Je suis absolument insatisfait de moi pour n'avoir pas reconnu votre voix. Mais tant d'années ont passé. "Time flies !" »

« Oui Miss Pim, ma dévouée secrétaire, est un terrible dragon. Elle ne fait qu'appliquer mes consignes, je déteste tellement le téléphone ! »

« Quel bon vent vous amène ? Vous vous souvenez de Beauvais, et de votre damné fourgon, et de votre damné chauffeur, et de la considérable nonne et de ses damnés cercueils, et du Château-Margaux et du brandy de Napoléon, et des nuits de Londres en 45, oh oui ! C'était le bon temps, n'est-ce pas ! »

« Que puis-je pour vous ? Si cela est dans mes cordes, c'est déjà fait. Quand nous revoyons-nous ? »

Flora, sa paume droite sur le microphone, interroge Thoiry. A-t-il encore des déjeuners libres cette semaine ? Ceux du jeudi et du vendredi le sont.

— « Cher Bob, pourriez-vous venir déjeuner à Paris, jeudi prochain, pour rencontrer mon nouveau patron ? Ou bien vendredi ? Vendredi vous convient mieux ? Parfait ! Où donc ? Au 4 place Notre-Dame-des-Victoires. La cave n'est pas mal et le "claret" remarquable. Entendu. "Next Friday, one p.m. sharp !" »

Impassible, Thoiry reprend sa dictée. La note achevée, il gourmande Flora. De sa vie, il n'avait vu une employée disposer avec autant de toupet des déjeuners de son patron.

Le vendredi matin, il lui annonça qu'ils se rendraient chacun de leur côté au restaurant. Il tenait à conserver à ce déjeuner un caractère strictement privé.

Toujours aussi volubile et aussi drôle, Bob Walcker fit spontanément preuve de la cordialité naturelle des Écossais à l'égard de Thoiry. En guise d'entrée en matière, il énuméra les péripéties de son odyssée : la descente en parachute, son « arrestation » par la maréchaussée, son entrée dans un couvent de religieuses cloîtrées, les recommandations impératives de la convoyeuse, le plancher du fourgon à gazogène, l'autorité du chauffeur, les mouchoirs à carreaux qu'ils devraient, le Canadien et lui, fourrer en boule dans leur bouche et serrer entre leurs dents, s'ils étaient pris d'une quinte de toux lors d'un contrôle allemand, le parfum et le caquet des volatiles aux pattes liées couronnant les légumes du camouflage, le grenier et la morgue du pavillon des contagieux, les deux semaines d'attente chez la mère du croque-mort, l'appareillage de nuit dans un dédale de récifs par un temps épouvantable, quel sacré marin que ce Breton-là !

Il interrompt le flot de ses souvenirs pour féliciter son hôte de s'être adjoint une assistante de ce calibre, et lui dire qu'il est prêt à examiner favorablement ses difficultés.

L'affaire est simple. Un importateur de Sevenoaks, dans le Kent, a passé une importante commande de motoculteurs à un industriel du Berry. Il a demandé à son fournisseur d'échelonner ses livraisons en six lots, au cours des douze mois à venir et de lui accorder un an de crédit pour chacun de ceux-ci. Or, la société britannique importatrice n'a que six mois d'existence et la compagnie d'assurance qui devrait couvrir le constructeur berrichon contre les retards ou les défauts de paiement des gens de Sevenoaks ne consent à délivrer sa police que si leur banquier, Mr Robert Walcker, accepte de se porter garant de leurs engagements. Bob connaît bien le jeune importateur et son associé. Il les a aidés à s'installer. Il estime, lui aussi, que le volume de leur commande est exagéré au regard de leur surface financière. S'il est possible de renégocier le contrat pour étaler les commandes sur deux ans et réduire à neuf mois les délais de paiement, il accordera sa garantie.

L'excellence du Château-Margaux entraîna une longue digression sur la nuit à la morgue. Un cercueil est tout à fait inconfortable. On se cogne les genoux, on est serré aux entournures, on devient la proie de crampes insupportables et l'interstice entre le couvercle et la caisse permet à peine de respirer. La qualité du « claret » et du brandy de la « Nonne Personne » les réconforta, le Canadien et lui, d'une inoubliable manière.

Avant la fin du repas, Walcker proposa à Philippe Thoiry de devenir son correspondant exclusif à la City. Ils pourraient développer, à eux deux, un courant d'affaires profitable entre la France, la Grande-Bretagne et ses Dominions.

Le lundi suivant, Thoiry entreprit de confesser sa nouvelle secrétaire. Flora passa sous silence l'École de danse, le Conservatoire et ses années conventuelles, avoua ses diplômes de lettres et d'anglais, son agrégation de grammaire, conta la création de la filière d'évasion, son séjour dans le maquis et ses mois d'ambulancière dans les Vosges, l'Alsace et la Forêt-Noire.

Il était impensable qu'elle stagnât dans un emploi de secrétariat. Il pensait lui confier l'organisation et la direction d'un service spécialisé dans les relations avec le Royaume-Uni et les Dominions. Il la priait de réfléchir à sa proposition et de lui faire connaître sa réponse au cours de la semaine suivante.

Elle accepta, se vit offrir des émoluments substantiels et la disposition d'une voiture personnelle dont elle choisirait la marque et le modèle.

XXVI

Une fois encore, Flora s'était condamnée aux travaux forcés. Elle sacrifia six mois à culotter des traités de gestion et d'arithmétique financière et à collectionner les détails des procédures régissant les opérations de commerce extérieur en France et en Grande-Bretagne.

Chaque soir, assise à la table de sa chambre d'hôtel, elle mettait noir sur blanc une série de questions l'obligeant à cerner les zones encore obscures de son nouveau savoir. Elles lui permettaient, également, d'orienter les propos de ses interlocuteurs pour leur tirer les vers du nez sans trop en avoir l'air.

Quand il lui fallut aborder l'étude des clauses proprement juridiques des contrats d'import-export, elle déchanta. Son ignorance du droit freinait son avancée.

Elle alla demander conseil à Pierre Ducros. Il s'ébaubit de la façon dont elle s'était reconvertie. Successeur de son père en 1950, il s'était marié, à trente ans, en 1955, avec une demoiselle Nicole Labrat de cinq ans sa cadette, titulaire d'un doctorat en droit et diplômée de l'École des Arts décoratifs. Leur fille Dorothée avait douze ans, Thomas son cadet huit ans.

Puisque sa cliente voulait s'initier au droit, sa femme pourrait lui indiquer les principes dont elle devrait se pénétrer et les points particuliers qu'il lui faudrait approfondir pour pratiquer le métier auquel elle allait se vouer.

Nicole remit à Flora un traité de droit romain et le précieux *Commentaire élémentaire de droit anglais* du vieux juge Alfred Henry Ruegg pour qu'elle s'imprègne, dès le départ, des différences distinguant l'esprit du droit écrit de celui du droit coutumier. Puis elle lui conseilla, pour remettre de l'ordre dans la diversité de ses acquisitions, de prendre pour aimants les notions juridiques essentielles : la personne, la propriété, les contrats, la faute, la force majeure, la responsabilité, la charge de la preuve, etc., etc.

Elle la mit en garde contre le danger de se noyer dans les fatras de la réglementation et de la jurisprudence, lui souligna l'importance du choix du pays dont le droit régirait un contrat international en cours d'élaboration.

Mais ce qui est capital, lui serinait-elle, n'est pas de vouloir tout savoir, impossible gageure, mais d'être en mesure de poser des questions précises et pertinentes aux spécialistes.

Thoiry et Walcker s'étaient entendus pour que Flora ait ses entrées à la City. Avec une inlassable patience, l'un des chefs de service du merchant-banker lui détaillait les pièces maîtresses de la paperasserie britannique, tandis que, gai luron, un autre membre de l'établissement lui enseignait, avec un redoutable humour, la manière de s'y prendre pour purger les cervelles pragmatiques de ses compatriotes des inquiétudes que leur causent les démonstrations abstraites de la logique gallique.

Mois après mois, la compétence de Flora s'affirmait. La clientèle de la maison reconnaissait son autorité. Elle entretenait de bonnes relations avec les banques, l'administration, les assureurs, les transitaires. Dans le petit monde des affaires, son crédit personnel ne cessait de s'élargir.

Thoiry lui avait alloué trois collaboratrices. Elles acceptèrent ses exigences. Flora avait la « manière », elle les « écoutait ». Après la mise en mains d'une nouvelle tâche ou le contrôle de l'avancement d'un dossier, elle détendait l'atmosphère en parlant d'une récente émission de télévision, du succès d'un spectacle. Elle donnait, avec prudence et bon sens, les conseils d'ordre familial que, de temps à autre, une telle ou une telle venait solliciter. Elle profitait de ces tête-à-tête pour complimenter ses adjointes de la façon dont elles avaient débroussaillé une affaire difficile, ou bien, leur recommander gentiment de ne pas prendre de retard dans l'examen d'une urgence.

Philippe Thoiry s'était étonné de la célérité dont elle avait fait preuve pour assimiler les éléments du métier. Rien n'est insurmontable, lui rétorqua Flora, pour un esprit formé par la pratique des versions latines et la confrontation quotidienne avec les difficultés de la grammaire française. Cependant, elle ne s'en serait jamais sortie sans le don pédagogique et la patience de Nicole Ducros.

En 1965, deux alertes cardiaques avaient contraint David Gordon à quitter la présidence de l'« Escaping Society ». Dick Osborne, Sir Richard, qui régnait sur une importante compagnie de navigation aérienne britannique, avait repris le flambeau quatre ans plus tard.

Dick et Bob invitèrent Flora à venir célébrer à Londres, le 18 septembre 1970, le vingt-cinquième anniversaire de la création de la « Society ».

Ils l'accueillent, tous deux, à Heathrow, et l'installent à l'hôtel de la Carlos Place où résida le général de Gaulle de 40 à 44.

Le soir, les survivants des « orphelins » fêtent « Nonne Personne » autour de la table d'un dîner « au champagne et aux chandelles » servi dans un restaurant renommé du West End. Le menu est remarquable, le « Dom Pérignon » coule généreusement.

Flora a reconnu presque tous ses évadés. Elle mesure la solidité et la fidélité de leur amitié. La plupart ont vieilli. Leurs cheveux clairsemés, l'embonpoint qui les alourdit témoignent de la fuite du temps.

« Nun Nobody » est placée à la droite de Gordon et à la gauche d'Osborne. David a l'air fatigué. En pleine forme, Sir Richard lui parle de ses lignes aériennes, de la concurrence de la construction aéronautique américaine, s'enthousiasme pour le « Concorde » et pour l'alunissage d'« Apollo ». Il n'évoque son évasion qu'une ou deux fois seulement. Au dessert, il lui remet sa carte de visite, sur laquelle il a tracé un signe cabalistique. Si elle lui faisait la grâce d'utiliser les avions de sa compagnie, en l'exhibant, elle n'aurait jamais le moindre souci pour réserver une place, bénéficierait d'un traitement de VIP à un tarif préférentiel, et si cela lui chantait, pourrait accéder au poste de pilotage.

Gordon prend la parole. Il ne manque pas de rappeler les toiles d'araignées du docteur « Maboul ». Il la morigène vertement pour le sursis d'un quart de siècle qu'elle s'est accordée de son propre chef, avant de venir accomplir la seconde partie de la peine infligée à Farnborough. Il ménage les mêmes pauses qu'alors, pour que les convives puissent manifester leur hilarité. Bruyante, elle n'atteint cependant pas le volume des hurlements de rires qui, en 1945, avaient secoué le mess de la R.A.F.

Sir Richard fait tinter son verre pour rétablir le calme. C'est à la titulaire de l'une des plus hautes distinctions de l'Empire britannique qu'il s'adresse, pour l'assurer que, jusqu'à leur dernier jour, les membres de la « Society » lui garderont leur plus profonde reconnaissance pour son étonnant courage. Puis il fait signe à l'assistance de se lever pour applaudir la « Nun ». Un triple hourra fait trembler les lustres. Dick Osborne prie tout le monde de rester debout. D'un ton plus solennel, il annonce qu'il va donner la liste des morts. On observera ensuite une minute de silence.

En l'entendant prononcer le nom de John Lelièvre, Flora ferme les yeux pour masquer sa tristesse ; mais elle n'aura pas, cette fois-ci, à se mordre les lèvres pour surmonter son émotion.

Après le dîner, la soirée se prolongea. Les « orphelins » se pressaient autour de leur convoyeuse, rappelant des souvenirs, lui demandant ce qu'elle était devenue, lui parlant d'eux-mêmes, de leur progéniture. Le ton demeurait chaleureux, mais une indéfinissable fêlure en ternissait le timbre. La « Nun » ne fut pas longue à comprendre qu'à l'époque des gazogènes, ils avaient en face d'eux une jeune femme de vingt-quatre, vingt-cinq ou vingt-six ans, dont ils gardaient la vivante image et, ce soir, ils retrouvaient une personne dont l'âge avait doublé. À minuit, Sir Richard vient arracher Flora à « ses » évadés d'autrefois pour la ramener à son hôtel.

Elle ne dormit pas de la nuit. Avait-elle apprécié cette réunion ? L'avait-elle détestée ? Ce dernier mot était dix fois, cent fois trop fort. C'est cependant lui qui s'était présenté le premier.

Avait-elle abusé du « Dom Pérignon » ? L'ambiance du repas ne l'avait pas incitée à faire valser le champagne. Il s'agissait d'autre chose.

On évoque souvent la stérilité des insomnies. L'état de fatigue qu'elles suscitent et qu'elles nourrissent expliquent leur mauvaise réputation. Il existe toutefois des insomnies fécondes, peuplées d'éveils créateurs, de songes curieux, d'images étranges puisées aux sources de l'inconscient. C'est au sein de l'une de celles-ci que Flora se débat : elle finit par découvrir, au-delà des ambiguïtés et des porte-à-faux, les causes de son désarroi.

La soirée de la veille n'était que le pâle reflet de la journée de Farnborough, vieille d'un quart de siècle. La guerre venait alors de s'achever, mais les esprits, les comportements la vivaient encore. La chaleur de la camaraderie, l'ivresse des combats, l'intensité du danger, ce jeu de cache-cache avec la mort dans lequel on engageait gratuitement sa vie, conféraient à l'existence une inexprimable aura.

Le retour de la paix rendit à la marche du temps la plénitude de sa puissance. Les générations, trop jeunes pour avoir pu combattre, prenaient leur place dans la société et refusaient de s'en laisser conter par leurs aînées, mésestimant, peut-être, l'importance des dividendes que leurs sacrifices avaient engendrés.

Hier, Flora avait deviné que les convives se scindaient en deux confréries : celle des regrets et celle de la vie battante.

Les adeptes de la première, tel David Gordon, enkystés dans leurs souvenirs, déçus par la médiocrité du futur qui les attendait, avaient amarré leurs esquifs à la jetée 1945 du fleuve « Temps », pour un arrêt définitif sur l'image.

En revanche, les tenants de la seconde, tels Osborne et Walcker, avaient fait force de rames pour prendre de vitesse les courants du vieux fleuve et conquérir ainsi leur destin.

Flora s'interroge. À quelle confrérie appartient-elle ? Elle hésite. À l'une et à l'autre probablement. La surimpression du dîner de la veille sur le souvenir de la réception au mess de Farnborough en 1945 - telle, la réédition du speech de Gordon à vingt-cinq ans d'intervalle - lui a démontré qu'à cinquante-quatre ans elle n'était plus, ni à ses propres yeux ni à ceux des autres, la même personne qu'autrefois. Moins émotive, toujours sensible cependant à la pérennité de ses amitiés, c'est son besoin d'action et son désir de vivre désormais un peu plus pour elle-même qui la dominent pour le moment.

Elle tente, avant de s'endormir, de circonscrire le dilemme :

Est-il, oui ou non, possible de continuer à véritablement exister lorsque l'on a déjà intensément vécu ?

XXVII

Sa période d'apprentissage achevée, Flora décida de s'offrir un chez-soi, de se constituer un groupe d'amis, d'explorer Paris.

Elle agglutinera ses amitiés parisiennes autour de trois personnes. Figure en tête Louise Robert. Élégante, cultivée, séduisante, libre, elle entraîne dans son sillage trois ou quatre prétendants. Ceux-ci se surveillent jalousement. Lui arrivait-il de se montrer, parfois, plus « compréhensive » à l'égard de l'un ou de l'autre ? Flora n'en sut jamais rien.

Elle s'était également liée avec Pierre et Nicole Ducros. Elle garde à Nicole une profonde reconnaissance de lui avoir donné de véritables cours de droit, et de ne jamais s'être lassée de lui fournir rapidement les réponses aux questions plus ou moins naïves qu'elle lui posait au téléphone.

Pierre se désolait de la nullité de Thomas en français. Flora s'offrit à lui donner quelques leçons. Le gamin l'adopta. Elle en conçut une grande joie. Thomas lui faisait imaginer ce que son petit Jean aurait pu être à son âge. Le fils de John serait déjà entré dans sa vingt-huitième année, si Dieu lui avait prêté vie.

Les leçons de français se succédaient. Thomas progressait. Un soir, fier comme Artaban, sans une faute, il récita l'*Apparition* de Stéphane Mallarmé, à ses parents :

La lune s'attristait. Des séraphins en pleurs
Rêvant, l'archet aux doigts dans le calme des fleurs
Vaporeuses, tiraient de mourantes violes
De blancs sanglots glissant sur l'azur des corolles

Ainsi que Flora le lui avait appris, il déroulait très vite ce quatrième vers, à la manière dont s'exécute un glissando sur le clavier d'un piano. À la fin du poème, ses deux mains élevées à la hauteur de ses épaules mimaient la coulée des fleurs qu'elles laissaient retomber :

Quand... dans le soir, tu m'es en riant apparue
...j'ai cru voir la fée au chapeau de clarté

Qui jadis sur mes beaux sommeils d'enfant gâté
Passait, laissant toujours de ses mains mal fermées
Neiger de blancs bouquets d'étoiles parfumées.

Thomas entraînait Flora dans sa chambre pour lui montrer ses trésors et lui confier ses secrets. Elle en vint à craindre que Nicole prit ombrage de la toquade de son fils. Nicole éclata de rire :

— « Rassurez-vous. Nous allons, Pierre et moi, demander à Thomas de vous appeler "tante Flora", pour lui permettre de mieux vous situer. »

« Et puis, je serais heureuse si vous pouviez vous occuper tant soit peu de Dorothée. Elle me semble parfois un rien jalouse de Thomas et elle atteint l'âge où une fille commence à jouer à chien et chat avec sa mère ! »

Plusieurs années auparavant, Nicole Ducros s'était découvert une vocation de décoratrice et conseillait ses amis.

Trop absorbée par son métier, Flora n'avait guère le temps de s'occuper de sa future installation. Elle chargea Nicole de lui trouver et de lui aménager un appartement situé à un étage élevé, jouissant d'une belle vue et disposant d'une chambre de service et d'un garage.

Après plusieurs semaines de recherches, Nicole lui proposa, rue Fresnel, un duplex orienté au sud-est, avec une terrasse donnant sur la Seine. Dès qu'elle l'eût visité, Flora en fit l'acquisition sans barguigner.

Elles passèrent leurs soirées à crayonner et à déchirer de multiples croquis. Flora souhaitait que l'étage inférieur comprenne sa chambre et sa salle de bains, un petit salon communiquant avec la salle à manger, un office et une cuisine. De multiples placards occuperaient utilement les mètres carrés obscurs du fond. Elle eut du mal à convaincre Nicole d'abattre toutes les cloisons de l'étage supérieur attenant à la terrasse. Hormis un débarras, un office encadrant, le palier de l'escalier intérieur, elle voulait avoir, là-haut, une très vaste pièce qui lui servirait de bureau et de bibliothèque. Cet espace lui permettrait de pratiquer commodément sa gymnastique matinale et de réunir certains soirs une vingtaine d'amis. Elle s'en remettait entièrement à Nicole pour choisir les bois de la bibliothèque qui devrait courir tout au long des murs de ce second étage.

D'une manière générale, elle lui donnait carte blanche pour décider de la teinte des moquettes, des dessins et des couleurs des tissus d'ameublement, des systèmes de stores et de volets roulants. En matière d'éclairage, ses initiatives seraient les bienvenues.

Elles iraient, toutefois, choisir ensemble les meubles pour les assortir au décor.

Une fois installée, Flora donna libre cours à sa passion : s'habiller. C'est là son seul luxe. Elle ne supporte que la perfection. Louise lui est précieuse. Elle connaît les bonnes adresses. Les placards de la lingerie se remplirent de chaussures, de sacs, de robes, de tailleurs, de manteaux, de foulards, de bérets...

Un beau matin, Philippe Thoiry la complimenta de son élégance. Elle le remercia de l'attention qu'il voulait bien lui porter mais, très franchement, elle ne voyait pas ce que sa manière de se vêtir avait de si remarquable.

Elle savait d'instinct marier la qualité des tissus et des cuirs à la stricte sobriété de leur coupe et de leur façon. Puis, l'harmonie de son maintien, de ses gestes, de ses pas, héritage de l'École de danse, l'aidait à mettre en valeur ses vêtements, ses chaussures, ses coiffures.

Elle composa sa bibliothèque. Pour réaliser le meuble, Nicole avait choisi un acajou ni trop clair ni trop sombre. Flora se plaisait à flatter, de sa paume, le chaleureux luisant du bois. En premier lieu, elle plaça sur les rayonnages la collection de « La Pléïade ». Certains volumes étaient épuisés. Prise au jeu, Nicole s'acharna à retrouver les manquants en fouinant dans les boîtes des quais ou en faisant appel aux services d'une librairie spécialisée de la rue de la Pompe. Suivirent les dictionnaires, les livres concernant la danse, les anthologies des poésies anglaises et françaises. Parmi ces dernières, Flora avait disposé, à portée de sa main, celles de Marcel Arland et de Georges Pompidou. Au centre d'une rangée, trônaient les œuvres de Max Jacob et du « Magnifique », encadrées par les ouvrages qui leur étaient consacrés. Les *Trente-trois sonnets composés au secret*, qu'elle avait appris par cœur chez Trumeau, et *Les Harmonies viennoises* de Jean Cassou s'accolaient aux livres d'Arland. Les poèmes de Patrice de La Tour du Pin voisinaient avec ceux de Jean de la Croix.

Il ne manquait pas un seul volume de Maurice Genevoix parce qu'il avait décrit Saint-Benoît-sur-Loire, évoqué les combats de 14-18 et chanté les forêts et les bois.

De chacun de ses voyages à Londres, elle rapportait une malette pleine de jolies éditions de ses auteurs favoris. C'était une joie de tomber sur des œuvres publiées dans ses « Penguin » d'autrefois. Chère Ann Bridge, chère Rose Macaulay, cher Claude Houghton, inoubliable Arnold Bennet. Irrésistible Evelyn Waugh !

Le dimanche, aucun prétexte ne l'aurait fait sortir de son duplex. Elle se levait tard, flânait sur sa terrasse, rangeait sa bibliothèque, en mettait à jour le catalogue pour y faire entrer les livres que les hasards des vitrines des librairies ou des émissions de la radio et de la télévision l'avaient incitée à se procurer. Pour rien au monde, elle n'aurait manqué, au milieu de l'après-midi, la diffusion sur France-Musique des débats de la « Critique des disques ». La comparaison des diverses interprétations d'une même œuvre la passionnait. La vitalité d'Antoine Goléa la subjuguait. Elle aimait son verbe volcanique, explosif, ses emportements, ses tempêtes d'enthousiasme, ses monuments d'indignation, la farouche indépendance de ses jugements. Rien n'échappait à la finesse et à la subtilité de son oreille. Flora s'amusait de ses interruptions percutantes, tremblait lorsqu'il se lançait dans de longues phrases truffées d'incidentes, mais la rigoureuse symétrie des ouvertures et des fermetures de ses parenthèses lui permettait, presque toujours, de retomber d'aplomb.

Deux fois par semaine, elle réservait sa soirée à un spectacle ou à un concert. Elle appréciait surtout les ballets classiques mais ne récusait pas pour autant la danse moderne, à la condition que ses meilleures chorégraphies se situent aux mêmes niveaux de qualité que les œuvres d'un Marius Petipa, d'un Lifar, d'un Lander ou d'un Balanchine.

Le samedi, elle court les magasins, les expositions, les galeries de peinture.

Nicole et Flora ont équilibré l'ameublement de la bibliothèque. Un escabeau d'acajou, muni de roulettes qu'un frein permet de bloquer, dessert les rayonnages élevés. Une très longue table longe le grand côté du rectangle de la pièce opposé aux baies vitrées qui donnent accès à la terrasse. Sur cette table on peut écrire, taper à la machine, étaler des livres, des revues, ouvrir des atlas, couper des tissus, dresser un buffet. Au fond de la salle, deux canapés à trois places, recouverts de tissus anglais se font vis-à-vis. Quatre fauteuils du même style complètent l'ensemble. Il est possible de converser ou de discuter à dix, confortablement assis, et même d'accepter les retardataires qui viendraient se jucher sur les bras des fauteuils et des canapés. D'élégantes chaises pliantes, stockées dans le débarras proche de l'escalier, sont destinées à élargir le cercle.

XXVIII

Flora renoua avec plusieurs de ses anciens camarades de l'École de danse. Leurs carrières de ballerines et de danseurs appartenaient à leur passé : ils étaient devenus professeurs ou avaient embrassé d'autres métiers. Elle retrouva – comédiennes et comédiens en renom – des condisciples du Conservatoire. Ils lui confièrent qu'il était parfois plus difficile de se maintenir que de percer.

Deux de ses compagnons d'agrégation s'étaient fait un nom dans la littérature, un troisième dans le journalisme. Elle reprit contact avec le professeur du lycée Henri IV que Trumeau avait hébergé. Titulaire depuis peu d'une chaire à la Sorbonne, il se donnait encore deux années pour terminer *L'Histoire littéraire du règne de Louis XIV*.

Pour rapprocher ces personnes du petit groupe de ses fidèles, Flora décida en 72, de recevoir ses amis chez elle le premier et le troisième mardi de chaque mois. Un buffet serait servi de huit heures du soir à deux heures du matin. Les comédiens jouant dans des théâtres, ne « relâchant » pas ces jours-là, pourraient ainsi venir souper après la représentation.

Gourmées au début, ces réunions ne tardèrent pas à s'animer. Après une période d'inquiétude et de doute, Louise et Nicole finirent par convenir que les invités prenaient un réel plaisir à se réunir.

En 73, Flora fit signe à Philippe Thoiry. Il vint seul. L'ambiance dut lui plaire. On le revit souvent. Elle ne le reconnaissait pas ; il semblait découvrir un monde dont il ignorait l'existence.

Rue Taitbout, il la faisait venir plus régulièrement dans son bureau pour la consulter à propos de tout ou de rien. Il n'hésitait plus à lui faire des confidences. Il lui conta l'histoire de la maison.

Sorti de l'« X » dans le corps des Télécommunications, il « pantoufla » en 59 pour fonder sa propre entreprise. Un départ miniature : un adjoint et huit employés, deux ou trois clients ! Il tenait son idée pour bonne. Il s'était évertué à n'offrir que des services d'une rigoureuse qualité, visant à comprimer de façon spectaculaire les délais d'aboutissement des affaires. Il fut assez heureux, après deux réussites marquantes, de bénéficier de la meilleure publicité dont on puisse rêver : celle du bouche à oreille. En dix ans, sa société avait grandi, et puis, il n'en revenait pas encore, l'incroyable toupet d'une secrétaire intérimaire lui avait ouvert les portes de la City et fait entrer dans la cour des grands.

Il reconnaissait que ses contacts avec le personnel n'étaient pas des meilleurs mais, à ses yeux, les gens sont des adultes responsables d'eux-mêmes et il éprouve un scrupule à s'immiscer dans leurs états d'âme. Il procure des emplois, il rémunère convenablement son monde, il observe les dispositions de la convention collective. Là, s'arrête son rôle !

— « J'admire votre esprit d'à-propos », lui déclara-t-il un soir à l'issue d'une réunion difficile au ministère des Finances.

— « N'exagérez rien. Je me laisse mener par ma fantaisie. J'imagine une situation. Je la mets en scène, je joue mon rôle, j'entraîne à ma suite clients, intermédiaires, banquiers, fonctionnaires. »

« Sans trop en avoir l'air, je m'efforce de leur faire jouer les rôles qu'au fond d'eux-mêmes ils rêvaient de se voir confier. »

— « J'avoue ne plus vous suivre. Vous fabulez. »

— « Je ne fabule pas. Vous rappelez-vous l'éminent rapporteur de tout à l'heure ? J'ai commencé par épouser ses vues et je vous assure que vous n'aviez pas l'air très heureux. Puis, en m'enrobant de quelques précautions oratoires, j'ai discrètement fait allusion aux inconvénients, purement éventuels, que sa solution semblait comporter. »

« J'ai ensuite avancé l'idée, sans doute absurde, que si tel ou tel de ces inconvénients venait, en se manifestant, ruiner les chances de succès du projet présenté, la responsabilité des services qu'il dirigeait risquerait de se voir engagée. Je terminai en déclarant que je venais simplement de me promener dans les jardins des hypothèses d'école, et que je m'en remettais à sa sagesse pour arrêter la décision. »

— « Ce n'est pas "Nun Nobody" que l'on aurait dû vous nommer, mais "Nonne Langue de Bois". Mais c'est du pur théâtre que vous nous serviez-là ! »

— « Bien sûr, c'est évident, c'est du théâtre. Si la pièce est mauvaise, elle ne passe pas la rampe, mais si elle est bonne, tout le monde marche. »

— « Vous êtes impossible. Je finirai par ne plus vous prendre au sérieux ! »

Cet été-là, Philippe Thoiry ne put s'offrir que de courtes vacances. Sa femme villégiaturait à Saint-Jean-de-Luz. Il invita souvent Flora à dîner au restaurant. Elle le pria plusieurs fois de venir prendre le café ou boire un verre sur sa terrasse. Il bavardait, l'interrogeait sur la danse contemporaine et le ballet blanc, sur les derniers prix littéraires, sur ce qu'elle pensait du jeu de telle comédienne. Avant de s'en aller, il lui empruntait quelques livres.

En mai 1975, Flora entra dans une galerie de l'avenue Matignon où se tenait une exposition du peintre Michel Rodde. Elle aima ses paysages du Tricastin, leur douce mélancolie, les décrochements des toits des villages, la netteté des cyprès piqués dans les collines, les rêveries délicatement embrumées dans le flou des feuillages des oliveraies, les bruns, les ocres et les jaunes des sols, les ciels lumineux tempérés de touches grises, souvent traversés de longues écharpes de nuages effilochés par le vent.

Elle pénétra dans une seconde salle consacrée à la Bretagne. Au détour d'un panneau, elle crut défaillir. Elle s'affala sur une banquette, demanda à une vendeuse un verre d'eau. Le peintre avait planté son chevalet à l'endroit même de la falaise de « Pen-Hir » où, trente-six ans auparavant, Joseph et elle s'étaient assis et où, l'année suivante, elle était revenue pleurer.

Elle retrouvait, en face d'elle, les brosses drues des arbrisseaux torturés par les noroîts, l'architecture minérale des empilements de rocs encadrant l'échappée sur l'océan, les franges d'écume ourlant le contour des récifs, les balles blanches des nuages, les verts et les bleus de l'eau, la précision de la ligne d'un lointain horizon. Joseph venait de ressurgir.

Elle rappela la vendeuse, la pria de faire emballer cette marine. Elle l'achetait avec son cadre, la réglait comptant. Elle l'emporterait immédiatement. Elle désirait également que la galerie lui communique l'adresse de l'auteur du tableau. La directrice vint la supplier de lui laisser la toile jusqu'à la fin de l'exposition. Flora ne voulut rien entendre.

Rue Fresnel, elle remplaça la gravure accrochée à la cloison, qui faisait face à son lit, par le Camaret de Michel Rodde. Elle lui écrivit le lendemain pour le prier de l'excuser d'avoir ouvert une brèche dans son exposition. Elle l'invitait à venir à l'un de ses mardis.

Quelques semaines plus tard, l'une des anciennes du Conservatoire, attachée à une chaîne de télévision, la convia à un dîner où elle se trouva placée à la gauche de Jacques Antoine, le petit-fils du créateur du « Théâtre Libre ». Elle lui rapporta l'admiration sans bornes que Saint-Pol Roux vouait à son grand-père.

Jacques Antoine évoqua ses projets. Des films télévisés d'énigmes et d'aventures, prenant comme décors et comme plateaux des villes, des monuments et des paysages des cinq continents.

Elle lui demanda s'il accepterait de lui faire le plaisir de se joindre, une fois ou l'autre, à ses amis du mardi. Il acquiesça et lui promit de lui adresser, entre-temps, les souvenirs écrits par son père et son grand-père.

Le hasard voulut que Rodde et Antoine se rencontrent un même soir chez Flora. Elle les prit à part pour leur montrer la marine de Camaret. Ils discutèrent assez longtemps.

Une toile, affirmait le peintre, ne constitue en aucun cas un arrêt sur l'image. Loin de figer son sujet, elle le condamne à vivre.

Jacques Antoine opinait, en notant cependant, qu'en sens inverse, le mouvement ne doit pas éparpiller les éléments du décor et les traits du caractère des personnages. Les plans d'une caméra n'ont de valeur que si chacun d'eux, dans la succession de ses images, respecte l'essentiel du tempérament des protagonistes et les mystères de leur environnement.

Reprise dans la bibliothèque, cette conversation ne tarda pas à s'élargir et à servir de thème à des échanges de vues poursuivis tout au long de la soirée.

XXIX

Pierre Ducros et Philippe Thoiry se retrouvaient régulièrement dans la bibliothèque de Flora. Thoiry ne cessait de remettre sur le tapis les problèmes entraînés par le changement de dimension de son affaire. Séduit par la clarté des propos de Pierre, il lui confia, en octobre 1975, le soin d'établir, dans leur ordre d'urgence, le programme des transformations susceptibles de garantir l'harmonieux développement de sa société. Il fera bientôt de lui son conseiller juridique.

De son côté, Flora persécute son patron et la Dame Louise pour qu'on lui trouve un adjoint destiné à lui succéder le jour de son départ à la retraite. Elle franchira bientôt le cap de la soixantaine. Le temps galope !

Mes dimanches sont devenus
Les lendemains les uns des autres.

se plaît-elle à répéter – beaucoup trop souvent – lui fait remarquer Louise Robert.

Bob Walcker vieillit, lui aussi. Il est urgent de lui présenter ce futur assistant, afin de lui laisser le temps de s'habituer à la tête du nouveau venu. Flora ne compte plus ses allers et retours entre Paris et Londres. Deux heures de tête-à-tête avec Bob lui permettaient d'accélérer la conclusion d'une affaire. Il devra, plus tard, en aller de même entre son remplaçant et le successeur de Bob.

Hormis quelques week-ends chez ses « orphelins » écossais, anglais et gallois, ou encore en pays d'Auge dans la maison de campagne de Pierre et de Nicole, Flora n'a jamais pris de véritables vacances depuis son arrivée rue Taitbout.

Elle aime Paris, se sent bien chez elle. Son métier l'intéresse. Le développement de son service la passionne, l'amuse. Elle éprouve toutefois le besoin de souffler, de se changer les idées, de partir au loin six semaines, un mois.

Elle s'était toujours promis de se rendre en Nouvelle-Zélande pour faire la connaissance de la famille de John. Débarquer là-bas à Noël, au moment même où s'amorce l'été austral, la tente.

En 68, elle avait repris contact avec Suzann, la plus jeune des deux sœurs de John. Elle reçut une prompte réponse. Ses parents sont morts, son père en 47, sa mère en 55. Sa sœur Charlotte a épousé un Australien, ils habitent Perth. Elle n'est pas mariée et vit seule dans la grande maison d'Akaroa.

Prévenue du projet de Flora, Suzann lui câbla qu'elle la recevrait chez elle aussi longtemps qu'elle le désirerait.

Le 8 décembre 75, à 16 heures, le Boeing d'Air New-Zealand atterrit à Christchurch.

Suzann l'attend. Elle a les mêmes yeux que son frère. Elle réserve à Flora un accueil franc, amical, discret. Les valises dans le coffre, la voyageuse installée à sa gauche, les ceintures bouclées, elle met en marche sa Rover et prend le chemin d'Akaroa. La route longe les eaux foncées du lac de Little River, sur lesquelles glissent les cortèges de cygnes noirs décrits par John. Flora reconnaît bientôt, adossée au flanc d'une colline, la « longue maison de bois » des parents de John.

Méthodique, décidée, Suzann a établi le programme des jours à venir. En cette fin d'après-midi, elles prendront ensemble une bonne tasse de thé puis, si Flora souhaite se reposer, elle pourra monter dans sa chambre dormir tout son content. La traversée en quarante heures de douze fuseaux horaires représente une rude épreuve.

Demain, elles déjeuneront dans un restaurant de Christchurch et feront ensuite le tour de la ville en voiture. La dernière bouchée du dîner avalée, il leur faudra se hâter de gagner leurs lits si elles veulent partir de bonne heure pour Queenstown mercredi matin. Suzann a l'intention de montrer à Flora les sites et les paysages que son frère admirait.

L'arrêt à Queenstown facilitera la visite des deux plus beaux fjords de la côte occidentale de l'île du Sud : le Doubtful Sound jeudi et le Milford Sound vendredi. On roulera toute la journée du samedi pour aller dîner et coucher à l'hôtel panoramique bâti au pied du mont Cook.

Dimanche matin, on se lèvera à l'aube pour voir jouer les coloris que projettent sur les glaciers de la face est du mont les reflets du lever du soleil. Le breakfast pris, on regagnera, à petite allure, la maison.

Au début de la semaine suivante, Suzann abandonnera Flora pendant deux ou trois jours, elle doit participer à la préparation des fêtes de Noël de sa paroisse. Elles se retrouveront le soir. Qu'elle considère cette maison comme la sienne, le réfrigérateur est bien garni, les livres de la bibliothèque sont à sa disposition, le papier à lettres placé sur le bureau lui permettra d'amorcer ses notes de voyage.

Si elle désire sortir, l'arrêt de l'autobus se trouve au coin du portail du jardin. Le musée de Christchurch vaut la peine d'être visité ; à moins qu'elle ne préfère descendre au port d'Akaroa guetter le retour des bateaux de pêche et assister à la criée au poisson. Suzann lui recommande également d'entrer dans la minuscule « maison de France » où sont soigneusement conservés des spécimens de vêtements, de meubles, d'argenterie, de faïences, de cristaux, d'ustensiles et d'outils apportés par les familles normandes qui débarquèrent dans la baie au milieu du XIXe siècle.

Encore sous le coup des fatigues accumulées de son voyage aérien et de la randonnée en voiture dans le sud-ouest de l'île, Flora s'abandonne à la paresse d'un long farniente au sein de cette maison où, des années et des années auparavant, John avait passé son enfance et sa jeunesse.

Au souvenir du pilote disparu s'associe la vision grandiose du Milford Sound que Suzann lui a fait découvrir la semaine précédente. Dans les granges de la filière, il lui avait décrit la vertigineuse dimension de ses murailles verticales, les couleurs vert émeraude ou bleu de Prusse du miroir de ses eaux, les évolutions des innombrables oiseaux de mer étageant leurs orbes du sommet des falaises au ras des flots.

Jusqu'à leur arrivée à l'hôtel du mont Cook, Suzann n'avait pas une seule fois prononcé le nom de son frère. S'agissait-il d'une jalousie rémanente, de l'inconscient agacement d'avoir rencontré la personne que son cadet, ainsi qu'en témoignait son ultime lettre, avait manifesté l'intention d'épouser la paix revenue ? À l'époque, Suzann devait encore considérer John comme « sa » chose.

Tout en jonglant avec les lacets de la route qui les redescendait vers Christchurch et Akaroa, Suzann évoque les dernières années de l'avant-guerre. En octobre 37, on avait fêté ses vingt et un ans.

John avait tout juste dix-huit ans. Admis à l'université de Cambridge, il devait bientôt partir en Grande-Bretagne.

Pour lui, en 38 et en 39, les deux bons mois de l'hiver austral ont correspondu aux vacances de l'été britannique. Des bandes joyeuses de garçons et de filles se retrouvent fréquemment aux abords du mont Cook. De jour, on skie, on luge, on patine à qui mieux mieux. Le soir, on danse, on flirte.

La complicité du frère et de la sœur ne s'est pas atténuée. Demi-mots, demi-teintes, demi-sourires, doubles ou triples battements de cils sous des sourcils malicieusement arqués leur suffisent pour tout se dire.

En octobre 39, John s'est réembarqué pour Southampton. Elle ne le reverra jamais plus.

Les trois jours de répit que Flora s'est accordés lui ont rendu son tonus. Suzann rentrait tard le soir, éreintée par les réunions paroissiales. Elle avait dû contenir les bonnes volontés intempestives et encombrantes, décider les fidèles bien organisés à s'engager plus avant, chronométrer l'alternance des temps de la parole et de la musique et, tâche particulièrement délicate, équilibrer avec une souriante diplomatie les durées respectives des hymnes anglais et des chants maoris.

En cette matinée du jeudi 18 décembre, descendues en robe de chambre, les deux femmes n'en finissent pas de prendre leur breakfast. Suzann s'est mise à parler de l'enfance et de l'adolescence de John. Le nourrisson était vite devenu sa poupée bien aimée. Elle se mua ensuite en grande sœur. Son petit frère avait besoin d'être materné. Il n'entreprenait rien sans elle. Elle savait d'instinct le consoler de ses chagrins, le délivrer de ses angoisses. De violents cauchemars le réveillaient parfois. Elle se levait aussitôt, s'approchait de son lit sur la pointe des pieds. S'il s'était rendormi, elle allait se recoucher, s'il pleurait, elle lui prenait la main et lui ressassait à voix basse ses histoires favorites.

Il grandissait, mais n'en demeurait pas moins fragile. Doutant de lui-même, il s'appuyait constamment sur elle. La marche du temps amenuisait leur différence d'âge. Leur amour fraternel se renforçait. Elle admirait sa curiosité d'esprit. Il s'était pris de passion pour l'astronomie. Musicien, il ne manquait pas un seul des concerts donnés à Christchurch pendant la saison.

Comme elle, comme leur père, il aimait le cheval. Elle se souvient du travail à la longe, des séances de dressage, des galopades à brides abattues dans les collines, des haies que l'on sautait dans la campagne au risque de se rompre le cou. Leur père les avait bien formés. Il détenait toujours dans ses écuries, quatre ou cinq demi-sang irlandais courageux et sûrs.

Leur sœur aînée, Charlotte, ne s'était jamais départie de son quant-à-soi. Éprouvait-elle un tantinet de jalousie de l'ascendant que sa cadette avait pris sur John ? Prétendait-elle, plus probablement, marquer ainsi ses prérogatives de fille aînée ?

– « Oui, dearest Flora, mon frère m'a terriblement manqué, et il me manque encore. Vous êtes l'une des dernières à l'avoir vu vivant. Je souhaiterais que vous me racontiez son évasion. »

– « J'avais scrupule à vous en parler la première, bien chère Suzann, de crainte de rouvrir une plaie. »

Flora s'est lancée dans son récit. Pour rien au monde elle ne voudrait attrister Suzann. Elle atténue les angoisses du jeune aviateur. Elle passe sous silence les sentiments et les émotions qui préludèrent à l'indicible bonheur de leur union. En revanche, elle se perd en détails sur l'organisation et le fonctionnement de la filière, sur la technique des gazogènes et les artifices d'Alphonse Madec, sur sa manière de se déguiser en nonne. Elle triche. Elle ne se souvient plus de la région où la maréchaussée a recueilli John : celle d'Abeville, d'Amiens ou d'Arras. Va pour Abbeville !

Elle confond, avec d'autres trajets, les itinéraires et les refuges empruntés pour mener John à bon port. Mais elle revit l'ultime halte à Lanmeur. Elle réentend les vers de William Yeats :

I know that I shall meet my fate
Somewhere among the clouds above.

Elle se garde bien de les citer. Elle décrit l'entassement des choux-fleurs auquel procède le fermier pour camoufler l'arceau de tôle ondulée qui abrite le pilote couché dans la charrette prévue pour le conduire dans les fourrés de genêts proches du voilier d'Abgrall.

Elle revoit cette charrette de la mort, ainsi l'avait-elle baptisée, trois ans plus tard à Guebwiller, lorsque la mission de liaison britannique lui avait fait parvenir la liste de ses « orphelins » tués dans leurs nouveaux combats. Cette vision la trouble, ses yeux se brouillent, son récit trébuche.

Suzann intervient :

— « Vous avez tous fait preuve, vous Flora et votre réseau, d'un dévouement sans borne, d'un courage extraordinaire, mais vous m'avez peu parlé de mon frère, alors que votre lettre de Londres faisait allusion à l'affection que vous éprouviez pour lui. De son côté, la veille de son dernier décollage, il nous exprimait son désir de vous épouser, la guerre finie. »

— « Vous tenez donc à tout savoir, Suzann ? »

— « Oui, je vous en prie. »

— « Nous nous sommes tendrement, passionnément aimés, John et moi. J'ai eu un fils de lui, un petit Jean, il est mort quatre jours après sa naissance... »

Flora ne put achever sa phrase.

— « Oh ! John a eu un fils ! Vous lui avez donné ce qu'une sœur ne peut offrir à un frère. Et vous deux m'avez donné un neveu. Son séjour sur la terre a été bref. Mais son âme, Flora, oui son âme a rejoint celle de son père. Soyez bénie Flora ! »

Incapables de prononcer le moindre mot, les deux femmes tombèrent dans les bras l'une de l'autre.

Suzann se confie. Elle s'est fiançée deux fois. Les deux fois elle a rompu ses engagements. Ses prétendants n'avaient pas soutenu la comparaison avec son frère. Ternes, dépourvus d'humour, fermés aux beaux-arts, médiocres cavaliers, tous deux l'avaient déçue. Bien pis, inexistante chez le premier, la piété du second manquait de profondeur.

Flora découvre le caractère mystique de la foi de Suzann. Ses arrière-grands-parents avaient embrassé la religion réformée. Elle a connu son arrière-grand-mère, morte très âgée. Charlotte supportait mal son emprise sur la famille. Suzann l'adorait. Jusqu'à présent, elle a suivi à la trace sa manière de prier le Seigneur : un dialogue simple, naturel, transparent. Si les Évangiles n'offrent pas une explication rationnelle des mystères de la révélation, du moins apprivoisent-ils l'esprit et le cœur des humains à la réalité de leur présence. Son arrière-grand-mère confortait sa ferveur en admirant les merveilles du firmament, la gloire des levers et des couchers de soleil, la lumière du regard d'une enfant, ou bien en jouant et en rejouant sur son pianoforte les suites et les variations de Haendel, son auteur préféré.

Au milieu de l'après-midi, Suzann entraîne Flora dans la chambre de John. Le tube du télescope offert par sa grand-mère repose sur le manteau de la cheminée. Suzann ouvre à deux battants la porte de l'armoire de son frère. Flora frissonne.

Elle se retrouve à Camaret, trente-cinq ans auparavant, lorsque la tante de Joseph lui a montré les chandails, les cahiers d'écolier, le costume de serge bleue du défunt.

À quoi riment donc ces incursions dans le passé, se demande-t-elle, sinon à refaire saigner des plaies ?

Elle entrecroise ses doigts, les serre de toutes ses forces, se reprend. L'étagère supérieure porte la casquette du pilot-officer et les coiffures de ses collèges. Dans la penderie, son manteau et ses vareuses d'uniforme voisinent avec ses tenues de sport. Sur la planche du bas, impeccablement graissés ou cirés, se cambrent ses souliers de rugby, ses bottes de cavalier, ses chaussures noires d'aviateur. En 1946, les Lelièvre avaient reçu, expédiées par son escadrille, les deux cantines de leur fils. Suzann a refermé l'armoire.

Elle demande à Flora de redescendre au salon. Elle prend dans le tiroir de la commode Louis-Philippe le médaillier en bois précieux que son père a confectionné de ses mains. Sur la plaque de cuivre encastrée dans le couvercle, gravés en caractères minuscules, figurent le nom et le grade de John :

PILOT OFFICER
John Edward George Lelièvre
R.N.Z.A.F.
May 12th 1919 - July 17th 1942

À l'intérieur de la boîte, dans les empreintes de leurs contours frappées dans une garniture de velours bleu R.A.F., reposent ses deux médailles.

Suzann referme le coffret et le place de force dans les mains de Flora. Elle refuse ce présent. Suzann est plus entêtée qu'elle, il doit revenir à la mère du petit Jean.

Flora n'est pas au bout de ses peines. Il lui faut remonter dans la chambre de Suzann. Sur le lit sont disposés trois paquets ficelés d'inégale épaisseur. Le premier, le plus léger, contient les lettres bimensuelles que

John écrivait de Cambridge à sa sœur, le second, ses lettres de guerre le troisième, le plus fourni, récupéré au fond d'une de ses cantines, les lettres que Suzann lui avait adressées en Angleterre, de 39 à 42.

— « Flora, je n'ai jamais eu le courage de relire cette correspondance. Pourriez-vous m'aider à classer nos lettres de guerre, en intercalant les siennes entre les miennes, pour réinsérer les envois et les réponses dans un même calendrier ? »

— « Je suis prête à vous rendre service, Suzann, mais je ne suis pas certaine de faire preuve de plus de courage que vous. Je veux bien essayer, mais je crains de craquer ! »

— « Peut-être, mais cela vous donnera l'occasion de connaître les débuts de mon frère dans l'Air Force, et de savoir également à quoi je ressemblais alors. »

Suzann a placé sur la table de la salle à manger un assortissement de boîtes à chaussures vides qui recevront, classés trimestre par trimestre, les lots de lettres issus d'un tri préalable. Cela les aidera à reconstituer, dans une seconde phase, les chassés-croisés chronologiques des envois et des réponses du frère et de la sœur.

XXX

Suzann et Flora passèrent leurs journées du vendredi et du samedi à remettre en ordre ce courrier. Ni le frère ni la sœur ne s'étaient préoccupés de laisser les feuillets dans leurs enveloppes, les tampons de la poste leur auraient donné des dates certaines. Suzann s'était contentée de mentionner en tête de ses premières pages le jour de la semaine où elle prenait la plume. John avait dû relire souvent certaines des lettres de sa sœur, retirées de leur pile au hasard ou bien plus particulièrement recherchées. Il n'avait jamais pris le soin de les replacer dans l'ordre de leur arrivée.

Il fallut aux deux femmes beaucoup plus de temps qu'elles ne l'avaient escompté pour opérer le rapprochement des envois et des réponses. Elles durent, en fait, sur les conseils de Flora, entreprendre une relecture approfondie de l'ensemble des missives pour s'y retrouver.

Elles constatèrent l'existence de brèches d'une certaine importance dans la continuité de ces échanges épistolaires. Suzann les attribua à la destruction par des sous-marins allemands de plusieurs navires assurant les liaisons entre la Nouvelle-Zélande et la Grande-Bretagne.

John avait suivi un stage de navigation aérienne. Ses instructeurs louaient la précision et la rapidité avec lesquelles il s'acquittait des exercices qui lui étaient proposés.

Il rapportait à sa sœur ses conversations avec un certain Mister Chichester qui avait séjourné en Nouvelle-Zélande avant 1939 et accompli sur un petit « Gipsy Moth » un vol d'Auckland à Sydney avec escale dans un îlot qu'il aurait été mortel de manquer. Ce trajet en solo lui avait permis d'achever la mise au point d'une méthode simplifiée de navigation au sextant, bientôt adoptée par la R.A.F. Suzann rappelle à Flora que ce gentleman était le futur « Sir Francis », vainqueur de la première régate transatlantique en solitaire entre l'Angleterre et les États-Unis sur son sloop « Gipsy Moth ».

Navigateur sur un bombardier, John ronge son frein. Les pertes sévères subies par les pilotes de chasse au cours de la bataille d'Angleterre imposèrent un appel à des volontaires pour recompléter les effectifs. John s'inscrivit. On l'agréa.

Il tomba sous la coupe d'un instructeur aussi féru d'équitation que lui. Ce squadron-leader, encore mal remis de ses récentes blessures, lui accommoda au sol et en vol en double commande une pédagogie particulière fondée sur le cousinage de la lancée d'un pur-sang sur un obstacle et du pilotage d'un avion dans des turbulences. Dans le premier cas, il convient de tenir les rènes ajustées pour empêcher la monture de dérober, tout en ménagement un zeste de mou pour laisser aux réflexes naturels du cheval la liberté de leur jeu. En vol, il importe d'observer une très courte attente avant d'agir sur les commandes pour permettre à l'avion, conçu pour cela, de rétablir lui-même son équilibre. John fut vite « lâché » et rejoignit peu après une escadrille.

Ses premières patrouilles se passèrent sans incidents notables. Les Messerschmidt se tenaient le plus souvent à distance respectable attendant pour attaquer que les conditions leur soient entièrement favorables. En juin 42, la défaillance de son moteur donna leur chance aux Allemands.

Le reclassement des paquets se termina à la fin de l'après-midi du samedi. Suzann remit tout en ordre et servit le thé

— « Vos lettres à John sont infiniment touchantes. Elles ont dû lui apporter un précieux soutien, mais la différence de ton des siennes m'incite à penser que son moral n'a jamais cessé d'être au beau fixe jusqu'au jour où il fut abattu. Sa déception, son saut en parachute, l'émotion du voyage vers la Bretagne, expliquent sans doute son passage à vide, ses invocations, la protection qu'il attendait de moi... »

— « Détrompez-vous, Flora. Mon frère était un être complexe, écartelé entre trois dominantes. En premier lieu, les scrupules et le perfectionnisme inhérents à sa vocation scientifique. En second lieu, sa sensibilité d'artiste génératrice d'inquiétude. En troisième lieu, son acharnement à dominer sa fragilité par la témérité insensée avec laquelle il poussait son cheval à franchir des haies impensables. Mon père s'étonnait de sa hardiesse, personnellement j'en frémissais. Trop souvent, ses exploits équestres étaient suivis de périodes d'abattement. Il se rapprochait de moi pour me confier ses peurs rétrospectives, ses doutes, ses découragements et son insatiable ambition de sauter encore plus haut le lendemain. Je suis sûre que ma tendresse l'apaisait, je nourrissais une telle affection pour lui. Mais, Flora, tout au long du parcours de la filière, vous m'avez merveilleusement relayée, vous ne pouvez savoir à quel point je vous en suis reconnaissante ! »

— « Il y a si longtemps de cela, Suzann, trente-trois ans ! Mais cette résurgence du passé me bouleverse ! »

— « N'oublions pas, Flora, qu'à cette époque l'existence de la censure postale dissuadait les combattants d'étaler leurs états d'âme. D'autre part, John tenait à rassurer mes parents sur la nature des dangers qu'il courait. Quand je pense qu'il avait camouflé la destruction de son appareil par les Messerschmidt en une banale histoire de roulé-boulé maladroitement exécuté, et ne nous avait dit mot de son passage en France. Nous avons tous marché en croyant qu'il n'avait eu affaire qu'à une gentille petite nurse londonienne. Mais je n'étais pas dupe. Quand il nous a dit qu'il voulait quitter le bombardement et se faire muter dans l'aviation de chasse, je savais qu'il demeurait la proie de ses tourments coutumiers. Je suis certaine que mes lettres l'ont conforté. Vous avez remarqué la pagaille dans laquelle il les a laissées. Il devait relire certains passages qui le touchaient davantage, jeter un coup d'œil en diagonale sur les feuillets qui l'agaçaient. Mais oui, je l'agaçais parfois. Il se moquait alors avec ses “Oh oui ! ma Maman. Oh bien sûr ! ma Maman”, ou encore avec des “Mon Dieu, je vous l'offre !”, ironiques ou contrits, insolents ou chevrotants. Nous finissions par éclater de rire. Il plaçait un disque sur le gramophone et m'entraînait dans une valse échevelée... »

Aussitôt chassée par un vif mouvement de l'index, une larme venait de perler au coin de l'œil droit de Suzann.

— « C'est tout à fait stupide et ridicule de s'attendrir. Vous ai-je dit que, demain dimanche, je serai prise toute la journée à la paroisse, ainsi que mercredi et jeudi, veille et jour de Noël ? Lundi et mardi nous irons nous promener ensemble. »

Un violent orage tint Flora éveillée une bonne partie de la nuit. Le lendemain matin, elle se leva tard, mit « deux heures » à s'habiller, se fit une tasse de chocolat, grignota quelques biscuits. La pluie avait repris.

Les cartons à chaussures étaient restés sur le buffet de la salle à manger. Elle les monta dans sa chambre pour relire à tête reposée les lettres de John.

Elle n'hésita pas à déficeler le paquet « Cambridge » qu'elles n'avaient pas eu le temps d'examiner la veille. Suzann a mille fois raison. Dans ces lettres à sa sœur, il s'épanche sans retenue. Elle le retrouve tel qu'elle l'avait connu entre Abbeville et Lanmeur : sensible, fragile, inquiet d'un destin que sa volonté lui permettra d'assumer quoi qu'il arrive.

Il aime son pays, ses études le passionnent, sa tendresse pour Suzann transparaît à chaque page. Elle est sa chose, comme il est la sienne. Des paragraphes entiers concernent les chevaux. Il l'encourage à monter chaque jour avec leur père. Le graphisme des lettres de guerre, sans doute écrites dans le tohu-bohu d'une chambrée ou d'un mess, court à la diable ; arqué, vigoureux, élégant, celui des missives de Cambridge est superbe.

Au milieu du paquet, elle retrouve agrafés l'un à l'autre l'ultime message de John adressé à ses parents la veille de sa mort et sa propre lettre expédiée de Londres en septembre 45. Qui donc les a ainsi réunis, sa mère, sa sœur Suzann ? Qui les a fourrés, de propos délibéré ou par hasard, dans le dossier « Cambridge ». Elle se gardera de soulever la question devant Suzann. Elle reficelle cette correspondance, la replace dans sa boîte, et redescend les cartons à la salle à manger.

À huit heures et demie, Suzann n'est pas encore là. Il doit être aux environs de huit heures du matin à Paris. L'idée vient à Flora d'appeler Louise Robert chez elle. Une voix furieuse répond : « On ne peut pas laisser les honnêtes gens dormir, non ? ».

Flora se fait reconnaître. Le ton change.

— « Quel bon vent, Flora ? »

— « Je fais un merveilleux voyage dans une contrée splendide. Je souhaitais reprendre contact avec vous, Louise. Du nouveau dans la maison ? »

— « Flora, j'ai une bonne nouvelle. Je vous ai déniché un adjoint hors pair ! »

— « Vous êtes toujours fantastique, Louise. Qui est-il ? Comment s'appelle-t-il ? Racontez-moi tout, dame Louise. Prenez votre temps. Vous êtes vraiment formidable ! »

Il s'agit d'un sieur Bernard Arnaud, trente-huit ans, marié, trois enfants, ancien commissaire du « *France* ».

La vente du paquebot à un armateur norvégien le rend disponible. Elle l'a connu il y a cinq ans, au cours d'une croisière en Méditerranée orientale.

Pour permettre à de nombreux passagers d'aller visiter Le Caire et les Pyramides, le navire avait jeté l'ancre en face d'Alexandrie. Louise et Arnaud étaient de la partie. À leur retour, les excursionnistes apprirent que, menacé d'être jeté à la côté par la levée subite d'un vent violent, le paquebot avait dû appareiller pour aller croiser au large. Le commissaire se retrouvait avec trois cents personnes sur les bras, qu'il lui faudrait faire dîner et loger pour la nuit. Dans la minute, il a convoqué les chauffeurs pour leur déclarer, que moyennant un beau pourboire, il les gardait à sa disposition jusqu'à minuit. Il appelle au téléphone le plus grand palace du Caire. Toutes les chambres sont occupées. En mettant en avant la renommée de la « Transat », le prestige du navire et la perspective d'une somptueuse récompense, il réussit à convaincre le directeur général de l'hôtel d'improviser pour ses trois cents pèlerins des dortoirs féminins et des dortoirs masculins, en disposant, sur le plancher des salles de conférence de son établissement, des matelas assortis de draps, d'oreillers et de couvertures.

Il obtint également qu'une collation soit offerte aux passagers dans la grande salle à manger. Louise Robert et Arnaud convinrent de se partager la besogne. Elle s'occuperait de l'installation des femmes, lui de celle des hommes.

À bord, ils se racontèrent leur vie. Elle lui parla de son métier de « chasseresse de têtes ». Il lui confia que sa femme se plaignait de ses trop longues absences et souhaitait le voir quitter la marine marchande. Louise avait pu apprécier l'esprit de décision de ce commissaire, elle ajouta qu'il possédait trois langues, l'anglais, l'allemand et le suédois et que, licencié en droit, il connaissait tous les détours des procédures juridiques et financières du commerce maritime.

Flora recommande à Louise de ne pas laisser filer l'oiseau rare. Elle va hâter son retour à Paris, elle pourra recevoir Arnaud au début de la seconde semaine de janvier. Elle laisse à Louise le soin de le convoquer.

La pluie a cessé. Le vent d'est a dégagé les nuages. La splendeur du ciel austral a réapparu. Suzann est rentrée à onze heures. Elle se confond en excuses. La réunion chez le Révérend n'en finissait plus. Il s'agissait d'arrêter le budget paroissial pour 1976. L'indécision du pasteur la désespère, elle a pu enfin faire prévaloir ses vues. Toutes deux dînent sur le pouce dans la cuisine. Elles iront passer la journée du lendemain à Christchurch. Cela les détendra. Suzann n'arrête pas de bailler. Elle monte se coucher.

Allongée sur son lit, Flora attend en vain le sommeil. En désespoir de cause, elle gagne la chambre de John, ouvre la porte-fenêtre, installe un fauteuil sur la terrasse. Combien de nuits John avait-il dû passer là, l'œil rivé à l'oculaire de son téléscope ?

Tranquillement assise, elle s'abandonne à la magie du firmament. Les étoiles scintillent. Les ancêtres des maoris croyaient qu'elles respiraient, *« mêlant leur souffle à celui des humains »*. Elle imagine quelle aurait pu être leur existence si John et Jean avaient survécu. Ils se seraient installés dans ce beau pays. Elle aurait mis au monde d'autres enfants. Soudés par une commune sensibilité, ils se seraient mutuellement protégés, John et elle, dans le refuge d'une tendre confiance. Elle se tourmente. A-t-elle eu raison de faire ce pèlerinage dans le pays de John ? Il est vain de prétendre ressusciter le passé. L'on ne revivifie que les désespoirs.

N'a-t-elle pas commis une erreur en se lançant dans le tourbillon des affaires, au lieu d'aller rejoindre, après le « désastre émilien », une congrégation plus sereine ? Elle s'est montrée efficace et utile chez Thoiry ; une autre aurait aussi bien, sinon mieux, réussi qu'elle. Elle a su réunir dans un cadre agréable un groupe d'amis. Tôt ou tard, il se dispersera. Elle a déjà senti poindre une certaine lassitude, des dissensions, des rivalités.

Il est indubitable que la lecture des lettres de John écrites à Cambridge l'a remuée, que les certitudes, la transparence et la pureté de la foi de Suzann l'ont profondément impressionnée. D'autres éléments plus subtils, plus déroutants, plus impérieux, provoquent, cette nuit, ce qu'elle nommera plus tard sa rechute mystique. Des hymnes tourbillonnent, des oraisons l'étreignent. Presque malgré elle, ses lèvres les murmurent, comme celles de Mère Irène au cours de son agonie, comme, peut-être, celles de Joseph et de John, s'ils avaient eu le temps de se voir mourir.

Une seconde fois, à trente ans de distance, la lumière d'une ineffable présence pénètre Flora. Ce soir, aucune ombre n'atténue son éclat. « On se sent appelée, il ne faut point résister », lui avait dit et redit sa supérieure générale bien-aimée. Douce, insinuante, paisible, une volonté nouvelle s'est substituée à la sienne : elle reprendra le voile.

Le lundi 22 décembre, Suzann et Flora arpentent Christchurch : multiples courses dès le matin ! Elles déjeunent dans un restaurant réputé, font honneur aux langoustes proposées au menu et au petit vin blanc des vignobles d'Auckland. Flora insiste pour régler l'addition. Elle annonce à Suzann qu'elle doit regagner la France plus tôt que prévu. Renonçant à faire escale à Tahiti, elle voudrait prendre l'avion d'Air New-Zealand pour Londres le 26. Suzann pourrait-elle l'accompagner à l'agence de la compagnie, avant qu'elles ne poursuivent leur tournée des magasins ?

La carte de Sir Richard produit un effet magique. Le directeur les reçoit dans son bureau. En un tournemain, les options de Flora sur les circuits d'Air-Tahiti sont annulées et sa réservation pour Londres enregistrée. Bien entendu, elle voyagera en première classe ; le commandant de bord et les hôtesses seront aux petits soins pour elle.

Le lendemain, elles visitent Akaroa, le port de pêche et le port de plaisance, la halle aux poissons, la minuscule maison des Français. Elles se sont arrêtées dans une guinguette : poissons frais, langoustes, même vin blanc que la veille. Suzann ne lui fait grâce d'aucun monument, d'aucune place, d'aucune ruelle !

Après le dîner, elles demeureront longtemps assises l'une en face de l'autre, coudes sur la table, buste en avant, menton posé sur le dos des mains. Leur dialogue s'entrecoupe de profonds silences.

Il ne leur reste plus que deux jours. Les obligations paroissiales de Suzann en absorberont une bonne part.

Le jour de Noël, elle reviendra chercher Flora pour qu'elle puisse suivre l'office du soir, puis elles rentreront réveillonner toutes les deux.

La tenue et le maintien de l'assistance, le sermon du Révérend, la rigoureuse ordonnance de la cérémonie impressionnent Flora. Elle apprécie la manière dont la chorale interprète Purcell, Haendel, Bach. Les chants maoris la subjuguent. Ces chœurs aux voix portées par les modulations et les nuances d'une langue extraordinairement musicale resteront gravés dans sa mémoire. Grâce à Dieu, la diplomatie de Suzann a réussi à persuader les exécutants de s'en tenir à leur répertoire et à leurs instruments traditionnels.

Chaque année, à l'issue de l'office de Noël, Suzann reçoit le pasteur et quelques amis de sa paroisse.

Cette fois-ci, elle fait une exception à la règle. Elle tient à réveillonner seule avec « Nun Nobody ». Au menu : saumon fumé, ailes de dinde, pudding, salade de fruits, sauterne, pommard, derniers vestiges de la cave paternelle.

On prend le café au salon. Sur la commode, à la droite d'une photographie de John, ressortie ce soir, Suzann a entouré son médaillier de trois paquets enrubannés. Flora redescend de sa chambre avec une boîte rectangulaire en carton havane. Elles se congratulent, échangent leurs cadeaux, défont les emballages. Suzann étale sur le dos d'un fauteuil un carré Hermès. Elle bat des mains devant l'image d'une sellerie et d'un harnachement d'amazone, passe le foulard autour de son cou, s'en couvre la tête, fait des mines. De son côté, Flora trouve deux ravissantes bonbonnières en rimu, l'un des bois précieux de la forêt originelle de l'île du Sud et, comble de bonheur, un exemplaire introuvable des œuvres complètes de Kathleen Mansfield.

— « Passons aux choses sérieuses, Flora. L'autre jour, vous avez refusé de prendre le médaillier. »

« Vous l'emporterez demain à Paris. Pour faire taire vos scrupules, prenez, dès votre retour, les dispositions pour qu'après vous, ce coffret revienne au département militaire du musée de Christchurch. »

— « J'accepte, Suzann. Son conservateur recevra en même temps le brevet et les insignes de la distinction britannique qui m'a été décernée à Farnborough, ainsi que le plateau d'argent massif que mes "orphelins" m'avaient offert. Le nom de John figure au bas du cercle, au premier rang de la liste des aviateurs tués au combat après leur évasion de France. »

« Allons, Suzann, ne nous attendrissons pas. Il est temps de monter nous coucher. Il faut être au plus tard à huit heures et demie à l'aéroport demain matin ».

Breakfast silencieux, chargement des bagages dans le coffre de la voiture, quelques rares mots pendant le trajet. Les valises de Flora sont enregistrées, le tapis roulant les emmène vers l'avion. Elles ont encore quelques minutes avant de se séparer. Une page se tourne. Brusquement, elles s'étreignent. Flora étouffe un sanglot.

– « Dearest Flora, ne pleurez pas. Je suis aussi émue que vous. Dire que votre fils était mon neveu. Flora, vous êtes ma sœur, ma seule sœur. Je m'appuie sur vous. Nous nous écrirons souvent, sans rien nous cacher... »

Les haut-parleurs invitent les passagers à destination de Londres à gagner les salles d'embarquement. Suzann pleure elle aussi. Elle sait, comme Flora, qu'elles ne se reverront jamais plus.

XXXI

Il a fallu presque une semaine à Flora pour reprendre ses esprits. Le passage brutal de l'été austral à l'hiver parisien, un décalage horaire d'une douzaine d'heures agrémenté d'un changement de date l'ont assommée.

Une seule question la préoccupe, le choix de l'ordre ou de la congrégation où elle ira se cloîtrer. Le 2 janvier 76, elle obtient au bout du fil l'une des deux moniales bénédictines qu'elle avait recueillies en 40 à Camaret. Elle est maintenant la prieure de l'abbaye ; elle sera heureuse de recevoir son ancienne compagne de « chambrée » le lendemain.

Flora confessa l'interruption de sa vie religieuse, lui fit part de sa rechute mystique et de son désir de rejoindre l'ordre de Saint-Benoît. La Mère ferma les yeux quelques instants avant de lui demander si elle avait été relevée de ses vœux. Elle s'y était refusée. Elle avait certes vécu dans le monde où les deux premiers sont sans objet, mais elle n'avait jamais cessé d'observer scrupuleusement le troisième.

Pour marquer son retour à l'observance du vœu de pauvreté, Flora fera don de tous ses biens au monastère qui voudra bien l'accueillir. Elle sait ce qu'exige le vœu d'obéissance : elle se prêtera à toutes les tâches qui lui seront imposées, à toutes les corvées dont on la gratifiera. S'il lui était cependant loisible de formuler une préférence, elle souhaiterait se voir confier des travaux de recherche dans une bibliothèque. Mais elle hésiterait à franchir le seuil d'une maison où la liturgie grégorienne n'aurait plus droit de cité. Le sourire de la prieure laissait deviner qu'elle partageait son sentiment.

Elle promit à Flora de se mettre en quête en France et à l'étranger. En attendant, elle demanderait à ses moniales de prier pour l'éclosion de sa vocation.

Louise Robert a convoqué Bernard Arnaud le 6 janvier à dix heures, rue Taitbout. Flora n'eut pas besoin d'un long entretien pour agréer sa candidature. Elle demanda à Philippe Thoiry s'il pouvait le recevoir sur-le-champ. Il acquiesça. Une demi-heure après, il la rappela : Dame Louise avait eu, une fois de plus, la main heureuse, Arnaud effectuera un stage de six mois sous sa houlette et lui succédera ensuite. Il lui paraissait indispensable qu'elle allât le présenter le plus tôt possible à Bob Walcker à Londres.

Bob avait plusieurs fois traversé l'Atlantique sur le « *France* ». Il avait admiré la courtoisie, la disponibilité et l'efficacité des commissaires de cet incomparable navire. Qui était donc le tout à fait stupide bonhomme qui avait décidé de priver son pays d'un pareil « ambassadeur » ? La Grande-Bretagne, elle, avait conservé sa « *Queen* » sur la ligne.

Walcker posa à Bernard plusieurs questions d'ordre professionnel : ses réponses dénotaient l'étendue et la solidité de son expérience. Il l'invita à venir passer un mois dans sa banque et lui promit de le présenter aux personnes qui « comptent » dans la City.

Bob avait retenu trois couverts dans un restaurant sympathique. L'ambiance était détendue. Pliée en deux, Flora étouffait de rire en entendant Bob et Bernard poursuivre en anglais un dialogue endiablé où se bousculaient le « slang » de l'East End londonien, les intonations d'Edimbourg et de Cambridge, de Boston et de la Nouvelle-Orléans, les accents du Texas et de Harlem, et les voix haut perchées des ladies de la « jet-society ». Bernard était adopté.

Walcker reprit son sérieux pour déplorer la prochaine retraite de « Sœur Personne ». Il est vrai qu'il songeait, lui aussi, à s'en aller dans les trois ans à venir.

Flora est heureuse. Dès le mois de juillet, elle pourra reprendre le voile. Il ne lui reste plus que trois choses à régler : croiser le fer avec Pierre Ducros sur la façon de liquider ses biens, faire ses adieux à l'« Escaping Society », organiser le dernier de ses mardis.

Les stages à Paris et à Londres de Bernard Arnaud se déroulent sans le moindre problème. Fin avril, d'un commun accord, Flora, Thoiry et Bob, déclarent qu'il est d'ores et déjà opérationnel.

La même semaine, la prieure de l'abbaye normande a demandé à Flora de revenir la voir. Elle lui expose le résultat de ses recherches. Un monastère de bénédictines irlandaises, situé dans le district de Galway, lui offrirait une large part de ce qu'elle souhaite. Elle lui recommande d'écrire, sans tarder, à la Mère abbesse pour convenir de la date où elle pourrait être reçue.

Flora se présenta le 3 mai. La Mère s'étonna de sa connaissance approfondie de l'histoire de l'ordre. Quel nom souhaiterait-elle prendre, lors de son entrée en religion ? Celui de Marie-Madeleine, répondit-elle. On fête cette sainte le jour de son anniversaire, et c'est à cette date qu'elle compte, si on l'accepte, franchir la grille de l'abbaye.

Elle est déjà acceptée. Et qu'elle se rassure, les offices continueront à être chantés en grégorien.

La Mère lui rappelle qu'elle sera tenue à une exacte observance de la règle. Elle ne devra pas répugner au partage des corvées domestiques et à l'accomplissement des travaux du jardin. Accepterait-elle d'étudier le gaëlique ? Depuis des années, la Mère caresse l'ambition de rassembler dans la bibliothèque du monastère les écrits des premiers poètes gaëliques chrétiens. La postulante se sentirait-elle capable de faire montre d'assez de courage et de persévérance pour mener à bien la rédaction d'un mémoire consacré à leur biographie et à une analyse approfondie de leurs œuvres ? Flora s'engagea à s'atteler à la tâche dans les semaines qui suivraient son arrivée.

Elle fit part à l'Abbesse de son intention d'apporter en dot la totalité de ses biens. Maître Ducros se mettra en rapport avec elle pour lui en communiquer l'inventaire et l'évaluation et lui indiquer les procédures, parfaitement légales, qu'il utilisera pour transférer le montant de leur réalisation au compte de l'abbaye.

Pierre Ducros prit fort mal la chose. Elle était folle à lier de vouloir mettre en vente son appartement et de prétendre liquider d'un seul coup les valeurs mobilières de son portefeuille pour faire don de leurs produits à une maison religieuse.

La faillite de la « Débile Émilie » ne lui avait donc pas servi de leçon ! Oui, elle était folle ! Il avait en tête des solutions plus judicieuses. Flora ne voulut rien entendre.

À Londres, Sir Richard et Bob Walcker organisèrent un déjeuner de l'« Escaping Society » en son honneur. L'assistance était moins nombreuse que la fois précédente. Souffrant, Gordon s'était excusé.

À l'issue des toasts et des applaudissements, Flora se leva pour annoncer aux membres de la « Society » que la fausse « Nonne Personne », allait bientôt se muer en une vraie « Sœur Marie-Madeleine » et leur assurer que ses « orphelins » et leurs familles ne cesseraient jamais d'être au centre de ses pensées et de ses prières tout au long du temps qui lui restait à vivre. Les convives vinrent se presser autour d'elle pour l'embrasser, la féliciter, la remercier, avec une émotion d'autant plus vive que chacun s'évertuait à mieux maîtriser la sienne.

Avant de convier ses fidèles à son dernier mardi, Flora remit la marine de Michel Rodde à Pierre et à Nicole, offrit ses gravures à Louise, et fit parvenir à Philippe Thoiry sa collection des livres de la Pléïade.

Sa carte d'invitation mentionnait une surprise. Ses amis tombèrent des nues, lorsqu'à dix heures du soir, elle leur annonça sa décision d'aller se cloîtrer dans un monastère irlandais. Pour les remercier de l'avoir si chaleureusement entourée au cours de ces dernières années, elle les priait de se répartir les livres de sa bibliothèque. Nicole et Louise tenaient à leur disposition des sacs en plastique dans lesquels ils mettraient les volumes de leur choix. Ces emballages sont pourvus d'étiquettes sur lesquelles ils voudront bien inscrire leur nom et leur adresse, ainsi que la date et les heures où des coursiers pourront les leur livrer à domicile.

Flora souhaitait que les œuvres d'un même auteur ne soient pas dispersées. Au cas où plusieurs de ses amis présenteraient les mêmes desiderata, Louise organiserait des éliminatoires à pile ou face pour les départager. La soirée se poursuivit dans une ambiance joyeuse et chahutée. Aux petites heures du matin, un voile de nostalgie vint modérer le timbre des voix. Par petits groupes, ses amis s'en allèrent.

Le personnel de la société de la rue Taitbout s'était cotisé pour remettre à Flora une jolie pendulette de voyage.

Thoiry exprima les regrets unanimes que causait son prochain départ et rendit un vif hommage à son humour, à sa compétence et à son dévouement.

Lorsque les papiers relatifs à la vente de ses biens et aux transferts de fonds en Irlande furent prêts, Flora retourna chez Pierre et Nicole pour les signer et se faire pardonner. Elle leur apporta le médaillier de John Lelièvre et demanda à Pierre de le joindre au plateau d'argent de Farnborough et aux insignes de sa décoration de l'Empire britannique. Elle le chargeait de remettre ces trois objets à l'ambassade de Nouvelle-Zélande à Paris, pour qu'elle les expédie, par la valise diplomatique, au conservateur du département militaire du musée de Christchurch.

Le matin même, elle avait fait part à Suzann de sa décision de regagner un monastère. Elle la prévenait également de l'envoi imminent dans son pays des souvenirs de guerre dont elles avaient fixé ensemble la destination finale.

Le 20 juillet 76, Pierre et Nicole, Philippe Thoiry, Louise Robert et Bernard Arnaud accompagnèrent Flora à Orly. Ils bavardèrent quelque temps devant le comptoir d'Aer Lingus. L'appel d'un haut-parleur les sépara. Au sommet de l'escalier roulant, Flora se retourna pour agiter plusieurs fois son foulard en signe d'adieu.

XXXII

Muée en Sœur Marie-Madeleine, Flora s'est attachée à l'Irlande. Les contrastes des saisons, l'aspect nostalgique des reliefs, la sombre pesanteur des matelas de nuages, les brumes mystérieuses, les gloires des éclaircies, la cavalcade des nuées accusant la violence des vents d'ouest, la tendresse des calmes retrouvés ont conquis son âme et son cœur.

Des rangées de grands arbres meublent le large terre-plein séparant les grilles d'entrée du monastère de sa façade sud. À l'automne, les tourbillons de fumée grise, s'enroulant au-dessus des feuilles mortes que l'on brûle, la laissent songeuse.

La terrasse attenante à la face opposée du bâtiment surmonte la pente d'un grand jardin que quadrillent des murettes de pierres sèches. Au début de l'été, la floraison des rhododendrons métamorphose cette géométrie minérale en damiers de couleurs rutilantes.

Au-delà, le regard plonge sur l'étendue violette des eaux du Lough Derryclare. Les dômes arrondis de la chaîne bleu pâle des Bens clôturent l'horizon. Lorsqu'elle interrompt quelques instants les travaux de jardinage auxquels est vouée une bonne part de ses matinées, Flora ne cesse de remercier le ciel d'offrir à ses yeux la beauté de ce paysage.

À son arrivée, elle a été dispensée d'un nouveau noviciat. En revanche, l'Abbesse lui a imposé une période de réflexion de sept semaines au cours desquelles elle fut plusieurs fois priée d'aller la voir dans son bureau.

Les paroles de cette femme intelligente, jeune encore, reflétaient les propos que Mère Irène lui tenait sur la consistance de la vie conventuelle, assise sur la nécessité d'entretenir par la prière et les méditations la ferveur d'une foi brûlante. La splendeur intangible de la liturgie, l'esprit de la règle contribuent, elles aussi, à conforter cet accès mystique au « royaume qui n'est pas de ce monde », à la condition de ne pas oublier que l'ouverture de ses portes exige la pratique préalable d'une charité exercée dans les domaines de la « vallée des larmes ».

Flora découvrit également dans la pensée et la manière d'être de l'Abbesse les caractères de l'atavisme irlandais : une passion farouche de la liberté, l'insatiable désir d'une règle du jeu équitable, la solidarité du tous pour un et du un pour tous dans les circonstances graves, la tentation de s'opposer par la violence aux injustices inacceptables.

Flora mena tambour battant l'étude de la vie et des œuvres des poètes gaëliques. En trois années, elle posséda leur langue. Certains poèmes côtoyaient le sublime, elle les apprit par cœur. Fin 84, son mémoire était achevé. Il fut publié dans les annales de l'université de Dublin, assorti d'une préface élogieuse d'un professeur émérite. Par l'intermédiaire de ses correspondants, les éditions introuvables de plusieurs recueils, nombre d'ouvrages relatifs à cette poésie garnissaient, désormais, toute une étagère de la bibliothèque du couvent.

Flora vécut dix années de sérénité et de bonheur dans ce monastère. Entrée dans sa soixante et onzième année, vive, alerte, elle ne se sent pas vieillir.

En août 1986, une négligence stupide engendre un drame. L'ourlet inférieur de sa robe se décousait. Chaque matin, elle se promettait de le reprendre le soir même, chaque soir, elle oubliait sa résolution. Le lendemain, la déchirure s'agrandissait.

Elle se décide enfin à emprunter à la lingère une bobine de fil, un dé, une pochette d'aiguilles, elle choisit la plus grosse, l'enfile, s'empare du bas de sa robe. On vient la déranger. Elle dépose l'aiguillée sur le coin de sa table. La visiteuse est bavarde. La cloche sonne l'heure de l'office. Flora se hâte. Elle entame, quatre à quatre, la descente du grand escalier de granite. La pointe de sa chaussure droite se prend dans la poche formée par l'ourlet décousu. Elle manque trois marches, plonge la tête la première, son crâne heurte le mur du palier.

En lui signant son exeat, le chirurgien qui l'a opérée à l'hôpital de Galway lui prodigue ses encouragements. Elle n'a mis que dix jours pour sortir d'un coma profond, et aujourd'hui, un mois après son intervention, il juge possible de la renvoyer parfaire sa convalescence dans son monastère. Plus tard, on envisagera l'éventualité d'un séjour dans un centre de rééducation.

Le ton dubitatif du praticien a dissipé les dernières illusions de Sœur Marie-Madeleine. Elle maudit sa paresse, sa maladresse. Ses jambes ne la portent plus, ses propos s'encombrent de bafouillages, lire trouble sa vision, écrire lui est impossible. Sa volonté s'effiloche, sa ferveur s'amenuise, son désespoir s'exaspère. Elle voudrait récupérer sa mémoire, s'essaie à réciter quelques vers, ils lui échappent aussitôt.

Les jours de pluie, elle se morfond dans sa cellule, rumine ses malheurs, rabroue ses visiteuses. Lorsque le soleil brille, deux novices la descendent dans son fauteuil roulant et la promènent autour des bâtiments. Le grand air, la senteur des herbes, des buissons, des arbres, l'étendue du panorama que la terrasse permet de découvrir devraient l'apaiser. Rien ne l'intéresse. C'est en maugréant qu'elle répond aux attentions des jeunes religieuses.

Le 2 novembre Sœur Marie-Madeleine s'est mise à délirer. Son avant-bras gauche bat la mesure. Sa tête se tourne convulsivement d'un côté et de l'autre. Sa gorge éructe des mots sans suite, à peine compréhensibles : « Pli...é... Dégagé... Estez... Fap...pé... On de jambe... Pli...é... »

Le neurologue ne cache pas son pessimisme : Quelques heures ? Quelques jours ?

L'aumônier lui a donné l'extrême-onction. Une agonie aussi pénible manifeste peut-être les plaintes d'une âme désespérée de devoir bientôt abandonner son alter-ego, le corps, à la solitude d'une tombe.

La patiente a cessé de s'agiter, de gémir, de soupirer. Elle s'est rendormie. L'Abbesse et les moniales se relaient à son chevet pour réciter le chapelet. Elles s'étonnent de sa transfiguration. Des traits plus détendus, une expression plus sereine se sont graduellement substitués aux masques douloureux qui torturaient son visage.

XXXIII

Le 3 novembre 1986, Sœur Marie-Madeleine reprit connaissance quelques minutes. Son regard s'est illuminé. Sa main valide, crispée sur son rosaire, s'est saisie de son bras mort pour l'élever au-dessus des draps. L'assistance l'a entendue articuler ses cinq derniers mots :

Mater misericordiae.
Jean. John. Joseph.

Ses yeux, son sourire s'immobilisent.

Ses bras retombent.

Tout au long du parcours menant de l'église abbatiale à l'enclos des sépultures bénédictines, le vent d'ouest a soulevé des tourbillons de feuilles mortes au passage du cercueil.

COLLECTION « POINTS FIXES »
AU CHERCHE MIDI ÉDITEUR

YVES AMIOT
Insurgences
Essai

DANIEL BIGA
L'Amour d'Amirat
Récit

Né nu, précédé de
Oiseaux Mohicans et de
Kilroy Was Here
Poésie

JEAN BRETON
Chair et Soleil suivi de
L'Été des corps
Poésie

Un bruit de fête
Prose

SERGE BRINDEAU
et JEAN BRETON
Poésie pour vivre, le Manifeste de l'homme ordinaire
Préface de Georges Mounin
Essai

JÉRÔME CAMILLY
Enquête sur un homme à la main coupée : Blaise Cendrars
Préface de Robert Doisneau
Document

JEAN-YVES CLÉMENT
Propos exutoires
Prose

JEAN COCTEAU
Lettres à Milorad
Correspondance

CLAUDE COURTOT
Les Pélicans de Valparaiso
Roman

JEAN-MARC DEBENEDETTI
La Grande Serre
Poésie

L'Équation du feu
Poésie

PATRICE DELBOURG
L'Ampleur du désastre
Prix Apollinaire
Poésie

MICHEL DEVILLE
Poézies
Poésie

Mots en l'air
Poésie

L'Air de rien
Poésie

PIERRE DRACHLINE
Fin de conversation
Récit

ERIC EUGÈNE
Wagner et Gobineau
Existe-t-il un racisme wagnérien ?
Préface de Serge Klarsfeld

ANDRÉ FRÉDÉRIQUE
Ou l'art de la fugue
Textes présentés par Claude Daubercies
Préface de Jean Carmet

La Grande Fugue
suivi du
Dictionnaire du second degré
Édition présentée et préparée par Claude Daubercies
Roman

DANIEL GÉLIN
Poèmes I

ANDRÉ GILLOIS
La Mort pour de rire
Essai

ANDRÉ GIOVANNI
Cérémonial sur les falaises
Préface d'Yvan Audouard
Poésie

ROGER GOUZE
Avec rime et raison
Poésie

JEAN JOUBERT
Le Sphinx et autres récits
Nouvelles

KHAIR-EDDINE
Mémorial
Poésie

JEAN-PIERRE LEMESLE
Poèmes à affranchir
Poésie

ROGER LESGARDS
Bracelets d'orbites
Poésie

Gorgées d'aube
Poésie

YVES MABIN-CHENNEVIÈRE
Le Veilleur aux yeux clos
Récit

YVES MARTIN
Un peu d'électricité sous un grand masque noir
Récits

FRANÇOIS MONTMANEIX
Vivants
Poésie

JEAN ORIZET
Poèmes
Grand Prix de poésie de l'Académie française
Poésie

L'Épaule du cavalier
Récit

Le Miroir de Méduse
Prose

La Poussière d'Adam
Récits

MARC PIETRI
Le Château de la reine Blanche
Poésie

JEAN-CLAUDE RENARD
Qui ou Quoi ?
Poésie

GUY ROY
Sur l'île
Poésie

JOSEPH PAUL SCHNEIDER
Sous le chiffre impassible du Soleil
Prix Louis Montalte de la Société des Gens de lettres
Poésie

En cette steppe
Poésie

ANDRÉ SUARÈS
Bouclier du zodiaque
présenté par Robert Parienté
Poésie

JEAN VASCA
Le Cri, le chant
Poésie

Solos solaires
Poésie

PAUL VINCENSINI
Archiviste du vent
Poésie

EMMANUEL DE WARESQUIEL
Brèves Machineries du silence
Poésie

Imprimé en France par la Société Nouvelle Firmin-Didot
Dépôt légal : septembre 1998
N° d'édition : 616 – N° d'impression : 44259
ISBN : 2-86274-616.9